U0462178

吴显奎　松　鹰　主编

QINGNIAN KEJI CHUANGXIN

DUBEN

（修订版）

撰稿人　松　鹰　吴显奎　方守默
　　　　冯　础　松　鹄　宫　健
　　　　阮　鹏　李庆雯　王晓达

四川科学技术出版社

图书在版编目(CIP)数据

青年科技创新读本/吴显奎主编. ——修订本.—成都:四川科学技术出版社, 2016.10

ISBN 978-7-5364-8481-8

Ⅰ. ①青… Ⅱ. ①吴… Ⅲ. ①技术革新-青年读物 Ⅳ. ①F062.4-49

中国版本图书馆 CIP 数据核字(2016)第 256044 号

青年科技创新读本

QINGNIAN KEJI CHUANGXIN DUBEN

(修订版)

主　　编　吴显奎　松　鹰

出 品 人　钱丹凝
选题策划　赵　健
责任编辑　肖　伊
封面设计　墨创文化
版式设计　杨璐璐
责任出版　欧晓春
出版发行　四川科学技术出版社
　　　　　成都市槐树街 2 号　邮政编码 610031
　　　　　官方微博:http://e.weibo.com/sckjcbs
　　　　　官方微信公众号:sckjcbs
　　　　　传真:028-87734039
成品尺寸　132mm×210mm
印　　张　11.25　字数 200 千
印　　刷　四川五洲彩印有限责任公司
版　　次　2016 年 10 月第 2 版
印　　次　2016 年 10 月第 2 次印刷
定　　价　26.00 元
ISBN 978-7-5364-8481-8

修订版前言

《青年科技创新读本》出版后，受到广大青年朋友的喜爱，特别是在成都高新区，许多公司年轻高管把读本做为案头书，给予很高评价。第一版很快售罄。在四川科技社钱丹凝社长和资深科普编辑赵健先生的支持下，我与本书另一位主编——著名科学文艺作家松鹰商议，决定修订、再版此书，并期待它能为更多青年朋友所喜爱。

在修订本书过程中，我们不断学习习近平总书记在今年北京“科技三会”上的讲话精神，体会建设世界科技强国的豪迈之情，思索科学创新在建设世界科技强国伟大征程中肩负的历史使命。感悟到2020年我国进入创新型国家行列，2030年迈进世界创新性国家前列，2049年跨入世界科技强国的时间安排。感悟到“不创新不行，创新慢了也不行”的迫切呼唤；并把这种呼唤和希冀，贯穿到本书修订的始终。我们两位主编由衷希望本书所叙述的科技创新得失，能对一代青年人有所启迪，有所激励，并从中获得源源不断的创新激情、创新动力和创新成果。

吴显奎

2016年10月

前 言

《青年科技创新读本》是为青年创业者们撰写的一本励志图书，一部创新路上的“锦囊妙计”。

我们正处在一个伟大变革的时代。时代呼唤着创新，创新是社会发展和人类进步的灵魂。为实现中华民族伟大复兴的中国梦,比以往任何时候都更加需要强大的科技创新力量。

青年时代是人生的黄金时代，年轻人充满着青春的活力和改变世界的梦想，最少保守思想，最善于接受新鲜事物，最富有创新精神。可以说青年时代是创新的最佳时期。翻开近代科学技术史，许多大科学家、大发明家，都是在年轻时就做出了伟大的发现和发明。

牛顿22岁建立二项式定理，23岁创立微积分，24岁发现太阳的光谱，25岁发现万有引力。爱因斯坦26岁创立狭义相对论，并推导出著名的质能方程式 $E=mc^2$。玻尔28岁提出“玻尔原子模型”，他的两个门生——海森堡23岁创立量子力学，泡利24岁提出“不相容原理”，为原子物理的发展奠定了重要基础，师生三人因此当之无愧地成为诺贝尔物理学奖得主。此外，英国青年麦克斯韦31岁创立电磁理论，预见了电磁波。德国青年赫兹也是在31岁用试验证

实了电磁波的存在，从此开创了一个崭新的时代。此后，一个接一个的精英人物投入探索无线电的行列。在这批探索者中，22岁自学成才的意大利小伙子马可尼敢想敢干，凭着勤奋刻苦和不懈努力，终于后来居上，摘取了发明无线电的桂冠。正可谓是“后生可畏”矣！

同样令人称赞的，还有两个改变世界的IT金童，赫赫有名的“可怕的微机小子” 乔布斯和比尔·盖茨。乔布斯，一个私生子，所幸被一对善良的夫妇养大。他21岁和沃兹一起在车库里创办了苹果公司，25岁成为美国最年轻的亿万富豪。此后他创办小公司，屡战屡败，屡败屡战，经过11年的颠沛和奋斗，终于浴火重生。他把技术和艺术完美地融合在一起，创造出一个个革命性的产品：iMac电脑、iPod音乐魔盒、iPhone手机、iPad触屏平板电脑……他让人们把互联网放进口袋。他颠覆了人类的现代生活方式。比尔·盖茨，一张阳光灿烂的娃娃脸，随意的沙栗色头发，细框眼镜后面露着自信的微笑——世界上几乎人人认识这个模样。他13岁开始做商业软件设计，17岁创办自己的公司，20岁担任微软公司董事长，31岁进入美国《福布斯》亿万富豪榜。比尔·盖茨创办的微软公司，成为纵横天下的软件帝国。他统领开发的视窗（Windows），为全世界的个人电脑提供了一个奇妙无穷的“窗口”。正是他加速了数字时代的到来，为人类迈入信息时代立下了不朽功勋。

中华民族是一个伟大的民族。我们中华民族自古就具有非凡的发明创造能力。中国不仅是活字印刷、指南针、造纸术、火药“四大发明”的故乡，还拥有辉煌的“100个世界第一”（见附录三）。

许多中国科学家和发明家，也是在青年时代就创造出了辉煌的成就。

1956年，29岁的李政道和33岁的杨振宁提出“弱相互作用中宇称不守恒理论”，两人共同荣获1957年诺贝尔物理学奖。钱学森28岁就成为世界知名的空气动力学家，与导师共同提出高速空气动力学的“卡门－钱学森”公式。华罗庚在剑桥大学留学时，年仅26岁就创立了蜚声世界数学界的“华氏定律”。陈景润33岁发表论文《表达偶数为一个素数及一个不超过两个素数的乘积之和》，一举摘取哥德巴赫猜想研究的皇冠。袁隆平30岁时独辟蹊径，开始研究水稻的有性杂交试验，34岁提出培育“不育系、保持系、恢复系”三系法利用水稻杂种优势的设想，经过数十年的辛勤耕耘、不懈探索，为解决中国人的吃饭问题和世界的粮食供给做出了重大贡献，被誉为“杂交水稻之父”“当代神农”……

再有一个就在我们身边的榜样——阿里巴巴的创始人马云。当年从普通学校毕业的马云是一个名不见经传的小青年，28岁下海，30岁创立网络公司，经过15年的拼搏，终

于成就了辉煌。就在 2014 年 9 月 19 日晚，阿里巴巴集团在美国纽约证交所挂牌上市，开盘价 92.7 美元，较发行价上涨 36.3%。阿里巴巴市值 2 282 亿美元，超过 Facebook(脸谱)、IBM、甲骨文、亚马逊，仅次于苹果、谷歌(微博)和微软，成为全球第四大高科技公司和全球第二大互联网公司。至此，阿里巴巴执行主席马云的身价达到 212.12 亿美元，成为中国的新首富。这是中国青年创业者创造的奇迹，也是中国青年创业者的骄傲!

习近平于 2013 年 11 月 8 日在致全球创业周中国站活动组委会的贺信中指出："青年是国家和民族的希望，创新是社会进步的灵魂，创业是推动经济社会发展、改善民生的重要途径。青年学生富有想象力和创造力，是创新创业的有生力量。希望广大青年学生把自己的人生追求同国家发展进步、人民伟大实践紧密结合起来，刻苦学习，脚踏实地，锐意进取，在创新创业中展示才华、服务社会。"

很庆幸的是，习主席讲这段话时，我们正在策划《青年科技创新读本》这本书，酝酿全书的框架和大纲。本书得到了四川省科学技术协会的宝贵支持，被列为 2013 年度四川省科学技术协会科普资源开发资助项目。大约同一时间，李克强总理到天津滨海新区考察，鼓励津京互联科技创业主题活动中心的青年创业者们说："比尔·盖茨和乔布斯都是从小公司起步。大学生青年不仅要泡实验室、图书馆，也要有

创业理念，把创新和创业结合起来，为自己，也为社会和国家创造财富。”

国家领导人这些语重心长的话，对中国青年的创新和创业寄予了殷切的期望，也为我们编写这本《青年科技创新读本》，提供了重要和宝贵的指导思想。

我们决定把《青年科技创新读本》一书定位为：一本中国青年科技创新的励志图书，一个关于青年科技创新综合知识的简介，一本中国青年创新、创业的指导手册，一部青年科技创新的“小百科全书”。习主席要求“全社会都要重视和支持青年创新创业，提供更有利的条件，搭建更广阔的舞台，让广大青年在创新创业中焕发出更加夺目的青春光彩”。我们希望《青年科技创新读本》这本小书，能为中国青年创新创业提供一些切实的帮助和有益的参考。

《青年科技创新读本》的读者对象为广大青年读者，包括在校学生、青年科技工作者、各行各业的青年创业者。本书的特点是把说理和故事结合起来。每篇都有说理，有案例，有故事。力求全书生动、有趣、实用。在体例上采用国际流行小开本，装帧精致，便于携带。全书的写作风格，借鉴了成功学大师卡耐基的“励志经典”，娓娓道来，小故事里充满着智慧。各章分段解说，列小标题，不标“节”，前后自然连贯，一气呵成。在每段的后面，都链接了“智慧箴言”，给读者以启迪和惊喜。

本书由吴显奎、松鹰主编，撰稿人松鹰、吴显奎、刘松柏、方守默、冯础、松鹄、宫健、阮鹏、李庆雯、王晓达，都是著名科普作家或科普创作高手。经过十个月的精心打造，《青年科技创新读本》一书于2014年10月完稿。全书共十五章，包括时代呼唤创新；谈谈青年科技创新的动力；谈谈想象力问题；谈谈创造力；青年科技创新与实践的关系；科技创新与德识才学；青年科技的创新与继承；青年科技创新与创业的关系；青年科技创新与失败；青年科技创新过程中常见问题、难题及其对策；青年创新成果的创新度自查方法；信息时代条件下创新的特点；团队协作在科技创新中的作用；科技创新与制度保障；科技社团在科技创新中的作用。全书的内容，几乎囊括了青年科技创新需要了解的知识和可能遇到的各种问题。书后还附了六篇有价值的附录，为读者的阅读和创新思路提供参考。

李克强总理对青年创业者们说：“创业平台散发着咖啡香味，让创业的思想、创新的念头自由翱翔，做到创业创新生活‘三位一体’。有人为了生活而工作，有人为了工作而生活，而你们把工作和生活结合在了一起，相信你们一定能创造一个崭新的时代！”愿我们撰写的这本小书能为青年创业者们的自由翱翔装上翅膀。

希望我们这本《青年科技创新读本》，能够激励更多青年特别是青年学生开启创业理想、开展创业活动。祝愿在他们之中涌现出更多的杨振宁、李政道、钱学森、华罗庚、陈景润、袁隆平、马云……为实现中华民族伟大复兴的中国梦做出杰出贡献。

愿这本小书受到广大青年读者的欢迎，成为他们创新创业路上的好伙伴！

2014 年 10 月 19 日于成都

目 录

第一章　时代呼唤创新

创新，是一个民族进步的核心力量。

没有创新，一个社会就会死水一潭，一个组织就会失去活力，一个人就会失去充分发展的动力！

科技创新，在当下，关乎国家的命运、民族的未来；国家赖之以强，企业赖之以赢，人民生活赖之以好！

站在中华民族伟大复兴的关节点上，党中央、国务院审时度势，于 2016 年 5 月 30 日，在北京召开了“科技三会”。习近平总书记在会上发表了重要讲话，坚定地提出了建设世界科技强国的伟大目标，令无数科技工作者无比振奋。科技兴则民族兴，科技强则民族强。实现“两个一百年”奋斗目标，实现中华民族伟大复兴的中国梦，必须走中国特色的自主创新道路。习近平明确要求，要面向世界前沿，面向经济主战场，面向国家重大需求，加快各领域科技创新，掌握全球科技竞争先机。

攻破关键核心技术，抢占事关长远和全局的科技战略制高点，是高瞻远瞩的战略部署，是动员令，是占领世界科技前沿阵地的冲锋号，是中华民族伟大复兴、中国融入世界经济发展大潮的战略布局。

一、把握大势，矢志创新

当代中国，比历史上任何一个时期都更接近实现中华民族伟大复兴的目标，也比历史上任何时期都更有信心、更有能力实现这个目标。党的十八大明确提出：实施创新驱动战略。强调科技创新是提高社会生产力和综合国力的战略支撑，要求摆在国家发展全局的核心位置，并通过深化改革建设国家创新体系，加快建设创新国家。到 2030 年，我国要进入创新型国家前列；到 2049 年，新中国成立 100 年时，要把我国建设成为世界科技强国！

恩格斯在给德国青年瓦·博尔吉乌斯的一封信中说："社会一旦有技术上的需要，这种需要会比十所大学更能把科学推向前进。""在马克思看来，科学技术是一种在历史上起推动作用的革命力量。"科学技术的普遍应用，在改造世界的过程中显示出强大的威力，所产生的社会影响重大。

中国要摆脱在先进制造业和基础科学研究上依赖西方、受制于人，就必须抢抓机遇，迎头赶上。我们中国人并不笨，智商并不比西方人低。我们的祖先创造了灿烂的东方文明。在几千年的农耕时代，我们的社会治理结构、经济发展水平和技术水平，都领先于西方国家。我们的先人，曾经在农学、医学、天文、算术等方面创造了系统化的知识体系。尤其是四大发明，将世界推进到一个新的时代，人类文明由此受惠千年。马克思说：火药、指南针、印刷术，这是预告资产阶级社会到来的三大发明。火药把骑士阶层炸得粉碎；指南针打开了世界市场并替欧洲强国建立了殖民地；而印刷术则变成了新教的传播工具，变成了科学复兴的手段，变成了精神发展创造必要前提的最强大的杠杆。

科学技术突飞猛进的发展，不过400年。在这400年中，尤其是在新西兰物理学家卢瑟福发现了“小太阳系”——电子核之后，科学技术的进步，便以加速度的方式向前推进，并极大地改变了人类社会的面貌。无论是世界上第一次工业革命，还是第二次工业革命，都是以技术进步为标志的。20世纪前期，薛定谔、玻尔、狄拉克、海森堡、爱因斯坦、麦克斯韦、法拉第，他们的发现催生了信息科学、生命科学的巨大变革，极大地提高了人类认识自然、利用自然的能力和社会生产力水平。在这一时期，中国在科学技术方面，大大落后于西方，最后很悲惨地沦为殖民地半殖民地。只有在中国共产党的坚强领导下，中国人民站立起来并虚心学习西方先进的科学技术，我们才能发展自己的经济，开始并成功地建设强大的国家。

而今，西方国家面对正在崛起的中国，面对在世界经济

版图上正在撼动着他们固有奶酪的中国，他们着急了，不再同我们合作，千方百计地阻碍我们的科学发展和技术进步，以各种方式封锁技术，或以保护知识产权为由，限制我国同发达国家的技术合作。

中华民族的伟大复兴，需要科技进步，需要技术创新。面对西方发达国家对中国崛起的限制策略，我们只有自己干！如同20世纪50年代，“一穷二白”的中国造出“两弹一星”一样，集中各方智慧，创新创造，以中国人自己的聪明才智，干出令世界瞩目的伟大的科学成就！

[智慧箴言]

社会一旦有技术上的需要，这种需要就会比十所大学更能把科学推向前进。

——恩格斯

二、日出东方，创新希望在青年

1. 青年人最具创新精神

有一位作家在一次引起轰动的演讲中说：“人类中有三种创造者：一种人是不断地、顽强地劳动，集中意志和力量，经年累月，突破一点而达到伟大的目标；另一种人是靠天才的火花；第三种人是两者兼而有之，或者通过顽强的劳动而获得令人耀眼的天才成就，或者相反，天才的火花推动创造者去顽强劳动，常年探索，照亮他的发明创造的道路。”第三种人是创新的典型代表，是创新人才的理想模式，是创新活动的杰出表现，是创新成果的可靠源泉，而这主要体现在青年人身上。青年人最有活力，最少有保守思想和观念；最热爱创新和创造性的劳动。青年人面对复杂多变的工作，不墨守成规，不会习惯性地沿用旧的思维模式、旧的法规来衡量已经发生变化的状态，而是锐意进取，积极创新，研究发现新情况，改进技术与方法，前瞻性地研究理论，推动技术进步。

青年创新，则国家创新、民族创新。青年的状况决定着国家的未来，没有一代又一代胸怀理想和锐意进取的青年，国家也就失去了自身赖以发展的最积极、最活跃、最具创新精神的力量。

青年是一个自然历史概念，青年从登上经济社会舞台的那一刻起，就成了社会发展的晴雨表，就表现出总是愿意跟着革新者走的创新特质，就肩负起梦想成真和血荐轩辕的历史使命。建设世界科技强国，光荣的使命是属于全体中国人民的，也是属于青年的，但归根结底是属于勇担历史责任、勇于开拓创新的青年一代。

2. 青年人要成为创新先锋

创新意识是社会进步的源泉，创新能力是社会发展的动力，创新精神是一种勇于抛弃旧思想旧事物、创立新思想新

事物的精神。

创新需要有“板凳宁坐十年冷”的定力和品格。1989年，中国科学院物理研究所以赵忠贤院士为代表的研究团队在超导体发现及研究方面取得重大突破，获得国家自然科学一等奖。20世纪90年代中后期以来，国内外的超导体研究均进入低谷，研究人员纷纷转到其他领域。赵忠贤院士等秉持科技报国的坚定信念，顶着团队“没有好文章”的压力，孜孜以求地坚守在这一领域。2013年，他们与中国科技大学的同行，再次荣获国家自然科学一等奖，为促进凝聚态物理学科发展和超导应用的实现做出了先驱性和开创性的贡献。

第二次世界大战期间，当伦敦正在遭受德国VI、V2导弹威胁的时候，丘吉尔向美国请求援助。于是，这件事被转到了美国加州大学著名科学家冯·卡门教授主持的喷气推进研究所。当时，钱伟长正在这个研究所从事火箭、导弹的设计试制工作。钱伟长仔细研究德国导弹的射程和射点后发现，德国的火箭多发自欧洲的西海岸，而落点则在英国伦敦的东区，这说明德军导弹的最大射程也仅如此了。据此，钱伟长同林家翘合作，提出了运行火箭受到干扰缩短行程的对策，有效地阻遏了德国的飞弹，将英国伦敦从灭顶之灾中拯救出来。

1964年，年仅34岁的袁隆平首先提出培育水稻“不育系、保持系、恢复系”三系法，以利用水稻杂种优势的设想开展

科学实验。他数十年如一日地从事杂交水稻育种理论研究和制种技术实践，最终取得巨大成功，被誉为“杂交水稻之父”。

海尔首席执行官张瑞敏说，海尔的价值观是什么？只有两个字——创新。创新就是要不断战胜自己。也就是确定目标，不断打破现有平衡，建立一个新的不平衡；在新的不平衡的基础上，再建一个新的不平衡。正是这种创新精神，使海尔成为中国十大自主创新民族品牌之一。2013 年 10 月 13 日，第十九届《中国最有价值品牌研究报告》公布，海尔以 992 亿元人民币的品牌价值，连续 12 年名列“中国最有价值品牌”榜首；2013 年 1 月 1 日，海尔集团跻身全球最具创新力企业十强。

一个民族，只有在不断创新中才能增强其凝聚力；一个国家，只有在不断创新中才能焕发其生机活力。谱写壮丽的青春，青年就要创造崭新业绩，让科技创新处处闪烁着青春的智慧，时时涌动着青春的热忱。

3. 创新的海洋在召唤

习近平指出，青年一代有理想、有担当，国家就有前途，民族就有希望，实现我们的发展目标就有源源不断的强大力量。他还强调，距离实现中华民族伟大复兴的目标越近，我们越不能懈怠，越要倍加努力，越要动员广大青年为之奋斗。

国际金融危机以来，全球经济和产业格局日益发生深刻调整。主要发达国家纷纷将科技创新提升到国家发展的战略

核心层面来部署，作为产业转型升级和持续提高竞争力的根本手段，超前谋划部署，着力保持先发优势。美国、德国等国依靠创新立国，已经逐步走向经济复苏。创新驱动已成为发达国家的共同选择。

中华民族百年屈辱史，揭示着人人皆知的铁律：落后就要挨打！面对我国发展中不平衡、不协调、不可持续和人口、资源、环境压力越来越大的矛盾和问题，我们必须及早转入创新驱动发展轨道，把科技创新潜力更好释放出来，充分发挥科技进步和创新的作用。解决我国经济社会发展中的一些深层次矛盾，“根本出路就在于创新，关键要靠科技力量”。党中央国务院全面部署，国家将坚定不移走科技强国之路，全面推进到2020年进入创新型国家行列，21世纪中叶成为世界科技强国的既定目标。

创新正当其时，青年须奋发努力！我们要抓住新一轮科技革命和产业革命契机，聚焦重大科学问题和核心技术问题，抢占科技发展的制高点。党中央提出，要更加重视基础研究，重视原始创新，形成更多具有自主知识产权的核心技术，推出更多中国制造、中国创造，实现我国更多领域由跟跑者向并行者、领跑者转变。要围绕“十三五”时期国家确定的重大科技专项，积极参与、聚力攻坚，创造更多引领世界潮流的科技成果。

创新的海洋在召唤！刘云山在中国科协第九次代表大会

上，提出要保持对科学事业的热爱，保持对科学真理的追求，既追求卓越，又脚踏实地，严谨务实、潜心钻研，在创新创造上取得新的成果；要敢为天下先、敢啃硬骨头，不断向未知领域挺进、向科技高峰进军，努力摘取科学殿堂上的皇冠！

[智慧箴言]

青年一代有理想、有担当，国家就有前途，民族就有希望，实现我们的发展目标就有源源不断的强大力量。

——习近平

三、用火一样的激情去创新创造

科学发现、技术发明，都是富有挑战的事业，都需要拥有火一样的激情去学习、去实践、去拥抱。贝弗利奇在《科学研究的艺术》一书中，对从事科学研究和创新创造给予了充满热情的讴歌。他认为，从事科学创新，是人类最伟大的活动，值得青年人用一生的活力去拥抱、去实践。富有朝气的生活，总是表现为在不确定的环境下去发现一个令人惊喜的新的明天。科学事业之所以朝气蓬勃，令人印象深刻，就是因为它具有进取的创新品格。

1. 要有坚定不移的进取品格

通往科学的第一步是怀疑。由怀疑而产生问题，为了解决问题去作深入的观察，设计新理论的实验，并由此提出试

探性的理论，消除初步理论或见解中的错误，再提出新的问题，这是科学发现历程的一般模式。怀疑是创造性思维的开端，是科学进步的征兆，是科学精神的可贵要素。有证据有条理的怀疑精神，是创新的强大推动力。任何一个伟大的时代，例如欧洲的文艺复兴时代、中国的春秋战国时代和当下的伟大民族复兴时代，总是充满这种有证据有条理的怀疑精神，高扬起解放思想的呼声，以不屈不挠的品格争取成功！英国科学家毕尔生说得好："在我们这个本质上是科学研究的时代，怀疑与批判的优势不应被视为绝望与没落的征兆，它是进步的保障之一。"

创造，是生命的绝对命令。如果我们取现在为时间轴的原点朝过去看，不难发现这样一个现象：在自然界的各种生物中，人是自然的最后创造物；在人类进程中，科学是灵性的最后产物；在科学的历程中，最伟大的科学革命又是最后的产物。创造的律令呼啸而来，成为时代的最强音。就个人而言，最富创造力的时期并不是生命的最后岁月，多数人的创造能力很早就开始衰退,创造力的黄金时代是在青年时代。

应当承认，由于过去 400 年科学技术惊人的加速进步和向全社会的加速渗透，今天任何个人都不大可能单独做出类似 100 年前那些才华横溢年轻物理学家做出过的创新与发现。在另一方面，由于信息技术空前缩短了个人与个人之间的距离，这就为汇聚个人的小发现、小创新使之发生大贡献、造成大财富，提供了过去没有的新可能。如果说100年前是一个由极少数人的大发现、大创新改变世界的时代，那么今天就是一个许多人都有可能通过小发现、小创新去改变命运影响世界的时代。这是当代青年的新机遇。对已有知识和技术的新观念和小改进，包括使用方式的小改进，往往也能产生意想不到的巨大效果。

进取的创新品格是一种非常特殊的个性远多于共性的品格。迄今为止，这方面还不存在事先的普遍指南，只有事后因人而异的解释。青年人拥有充沛的热情和强烈的好奇心，是科学发现的最重要的必备性格，但是年轻人的热情也最容易无端耗散，好奇心则容易在见异思迁中化为乌有。年轻人要想有所发现、有所发明、有所创造，就必须有专心致志的热情和专心致志的好奇心。你越是努力争取让自己的才智富有成效，就越是意识到你必须把自己可支配的有限精力集中投入最重要的机会。这是成功的唯一途径。

进取和创新不仅是科学精神的要素，而且也是今天青年人的命运。如果缺乏创新意识，你就只能被笼罩在时代的一切弊端之中。生命的进取意味着从未来汲取诗情创意，对自己的创新意味着在坚实的基础素质上以变应变。青年人所需要的，并不是一个在学校获得的既定的优秀评价去等待社会的鉴赏收藏，而是一种因具备良好素质而在各种可能的环境中都能做到优秀的可能性。诺贝尔生理医学奖得主乔治·沃尔德说过：我们生活在一个充满可能性而非偶然性的世界。上帝赌博，但他并不作弊。培养坚定不移的创新品格，无论在多么复杂困难的环境里，都能坚持自己确定的目标，那么，成功就不会远了。

2. 先投入战斗，然后再见分晓

已故的知名学者、演讲家陈志明教授说过："科学是人类精神尤其是理智的最精致的活动。像哥白尼、牛顿、爱因斯坦这些把理性的目光投向宇宙深处的科学巨人，都是为了发现真理，而非为了解决眼前的实用。然而人间的事情似乎就是那样乖谬，你越是傻乎乎地追求不着边际的精神，你越是拥有巨大的物质力量；你越是关注眼前的物质实用，你反而越是陷入物质上的匮乏困顿。工业革命以来世界的巨大变化，20 世纪以来中国的巨大变化，都是由于科学精神的理性光芒照亮了人们认识真理的道路，解放了人最宝贵的精神和思想的天赋，喷发而出，转化为巨大的实践的现实力量。"

科学技术的不断创新解放着人类的体力和脑力。今天，我们轻而易举地享受着由信息化主导的大规模制造业提供的丰富商品，任何一个中等生活水平的人，其生活的"奢侈"程度和轻松程度，都超过一个古代帝王。从蒸汽机到电动机到自动化到智能化，人类的体力和脑力不断被解放和拓展。以先进科学技术为标志的先进生产力的突飞猛进，正推动人类传统的生产方式、生活方式和社会组织结构发生全面而又

深刻的变革。所谓人类文明，归根到底，就是人类的体力和脑力的状态、使用方式、组织方式和表现出的总体效能以及发展可能性。从这个意义上说，科学技术的创新已成为当今人类文明发展的一个重要标志。从精神和思想解放，到物质解放，再到更大的精神和思想解放……我们行进在“马太效应”的上升通道上：那已经拥有的，要让它继续更多地拥有。

科学技术的不断创新拓展着人类活动的时间和空间。从铁路运输到高速公路，从远洋轮船到大型超音速飞机，从奔月的幻想到登月的实现再到火星计划，从仰望星空到发射人造卫星和宇宙飞船，所有这些跨越，都是在不到100年甚至不到50年的时间内发生的！距离的缩短为我们赢得宝贵的时间，速度的加快为我们开拓了巨大的空间。这还只是在我们直接经验中的变化。至于科学技术中的人类视野，一般人已很难从感性的直觉上去判别大小长短了。目前，人们应用光学望远镜、射电望远镜、空间天文望远镜等仪器，可观测到大约 1.3×10^{10} 光年的宇宙空间（约百亿光年的距离）；通过隧道扫描显微镜等可观测到纳米 (10^{-9} 米，即十亿分之一米) 尺度的微观范围；更小的尺度还可利用加速器进行间接观测，精度已达到 10^{-18} 米。也就是说，现代科学仪器已使人类视野从细微到辽阔横跨了44个数量级的空间尺度。还有高速发展的通信卫星、宽带网络、蜂窝移动电话、量子计算机等先进技术，已真正使人们实现了“天涯若比邻”的接近。人们有了更多可以支配的时间去从事创造，也有了更大的空间去活动、表现和实践。

面对每天都有新进展、每天都有新发现的极速巨变的时代，实现科技创新最为关键的是“先投入战斗，然后再见分晓”！青年朋友们，努力哟！

[智慧箴言]

青年之字典，无“困难”之字，青年之口头，无“障碍”之语；惟知跃进，惟知雄飞，惟知其本身自由之精神，奇僻之思想，锐敏之直觉，活泼之生命，以创造环境，征服历史。

——李大钊

（吴显奎）

第二章　谈谈青年创新的动力
——观念创新　有志者事竟成

创新是大自然不变的法则。年复一年，日复一日，日出日落，花开花谢，似乎没什么变化，事实上今天的太阳已经不是昨天的太阳；新闻天天有，昨天的新闻对于今天来说就是旧闻了，时间是不会倒流的。今天的我，绝不是昨天的我，总会有一次创新，只是很多时候人们没觉察每天都是新的。

创新是社会发展的基础和源泉，失去了创新，社会将停滞不前。国家要强大必须要创新，个人要有所作为也必须要创新。

创新的冲动是多元的，有的是来源于崇高理想的实现，有的是兴趣爱好的驱动，还有的是社会发展的需求、实现个人价值的欲望等等的冲动。

任何一项创新都不是靠空想能实现的，都是要经过艰苦的磨难才会实现的，否则创新就是无源之水，无本之木。

一、崇高理想，科技报国

钱学森的头衔和荣誉无人可比。他是中国“航天之父”

及“两弹一星”功勋奖章获得者、“国家杰出贡献科学家”、中国科学院院士，这些都足以显示其在航天技术领域的分量。

钱学森1911年12月出生于上海，早年先后就读于北京师范附中和交通大学。1934年考取清华大学公费留学。1935年8月的一天，钱学森孤身一人离开祖国。在美国的邮轮上，望着浊浪翻滚的黄浦江和渐渐模糊的上海城，他心中默默地想着：再见了，祖国。你现在豺狼当道，混乱不堪。我要到美国去学习科学技术，他日归来为你复兴效劳。

这个时候的钱学森已经下定决心，要为国家的强盛刻苦学习。这种崇高的理想，促使他不仅在日后的学习中取得优秀成绩，而且在回国后为祖国做出巨大贡献。

钱学森到美国后先进入麻省理工学院航空工程系，学习成绩一直名列前茅，获得硕士学位。但当他了解到当时的航空科学还处于襁褓之中，而就职于加州理工学院航空与数学系大名鼎鼎的冯·卡门教授是这一领域的顶尖人物后，便慕名转学到了加州理工学院航空与数学系。

冯·卡门仔细打量这位仪表庄重的年轻人，向他提出几个问题让他回答。钱学森略加思索便异常准确地回答了所有的问题。教授暗自赞许：这个中国人的思维敏捷而富于智慧，便高兴地收下了这个学生。钱学森刻苦钻研，是学生中的佼佼者，1939年获得博士学位，以后成了冯·卡门最得力的助手。冯·卡门领导的古根汉姆航空实验室是美国火箭技术的摇篮，钱学森作为一名研究生，成为这里进行火箭技术研究的最早的三名成员之一。

1945 年初，钱学森成为以冯・卡门为团长的空军科学咨询团的成员，并有机会考察了欧洲航空和火箭技术的现状。1947 年初，36 岁的钱学森晋升为麻省理工学院正教授。1953 年，他发表了《从地球卫星轨道上起飞》，为低推力飞行力学奠定了基础，赓即又于 1954 年出版了《工程控制论》一书。1955 年回国时，冯・卡门十分激动地称赞钱学森说："你现在在学术上已超过了我！"

新中国成立后，钱学森迫切希望回国，可是遭到美国政府的阻挠和严密监控。1955 年 9 月 17 日，钱学森梦寐以求的归国愿望终于实现了。

由于钱学森的归国效力，中国原子弹、导弹的发射至少向前推进了 20 年。

1956 年，刚刚回国不久的钱学森受命组建中国第一个火箭、导弹研究所——国防第五研究院并担任首任院长。他主持完成了"喷气和火箭技术的建立"规划；参与了远程导弹、中近程导弹和中国第一颗人造地球卫星的研制；直接领导了用中近程导弹运载原子弹"两弹结合"试验；参与制定了中国第一个星际航空的发展规划。

钱学森在空气动力学、航空工程、喷气推进、工程控制论、物理力学等技术科学领域做出了开创性贡献，是我国近代力学和系统工程理论与应用研究的奠基人和倡导者。

为我国研制“两弹一星”做出重大贡献的科学家还有很多，他们是一个群体，其中有一位拓荒者——“中国原子弹之父”邓稼先，把成功研制“两弹”作为科技报国的崇高理想，孜孜以求，可令人痛心的是，他英年早逝。

邓稼先，1924 年 6 月出生。他的父亲当时是清华大学和北京大学文学院教授。1936 年邓稼先考入北平崇德中学，经过三年的刻苦努力，他在英语、数学、物理方面打下了良好的基础。

“七七事变”以后，邓稼先的求学之路几经辗转，时断时续，亲身体验了国难深重的痛苦。在抗日救亡的呼喊中成长起来的邓稼先，高唱着“千秋耻，终当雪，中兴业，须人杰”的西南联大校歌走上了科学之路。

为了实现科技强国的理想和夙愿，邓稼先于 1947 年通过了赴美研究生考试，翌年秋进入普渡大学研究生院学习。由于成绩优异，仅用了一年多时间就获得了博士学位，此时的他只有 26 岁，人称“娃娃博士”。邓稼先放弃了美国政府为他提供的优厚待遇，婉言谢绝了导师和校友的挽留，毅然回到祖国。他和他的老师王淦昌教授、彭桓武教授投入中国近代物理研究所的建设，从而开创了中国原子核物理理论研究工作的崭新局面。

邓稼先在美国普渡大学获得物理学博士后，于 1950 年毅然回到祖国，以极大的热忱投身到新中国的科技事业中去。他参与组织和领导我国核武器的研究、设计工作，是我国核武器理论研究工作的奠基人之一；从原子弹、氢弹原理的突破和试验成功及其武器化，到新的核武器的重大原理突破和研制试验，均做出了开创性的巨大贡献。作为主要研制人员，其成果获得国家自然科学奖一等奖和国家科技进步奖特等奖。

1963 年 9 月，聂荣臻元帅命令，邓稼先、于敏率领九院理论部研究原子弹的原班人马，承担中国第一颗氢弹的理论设计任务。

1964 年 10 月 16 日下午 3 时，中国成功爆炸的第一颗原子弹，就是由邓稼先最后签字确定的设计方案。他亲自率领研究人员在试验后迅速进入爆炸现场采样，以证实效果。

原子弹爆炸后的 2 年零 8 个月（1967 年 6 月 7 日）氢弹试验成功。

中国能在那样短的时间，那样贫困的生活、那样差的研究基础和条件下，自行研制成功原子弹和氢弹，简直不可思议。因为各方面条件都十分优越的发达国家，原子弹试验成功后，研制氢弹花去的时间，苏联用了 8 年，美国用了 6 年，法国用了 4 年。

中国正是有了像邓稼先这样一批具有崇高理想、勇于奉献的优秀知识分子，才挺起了坚强的民族脊梁。

［智慧箴言］

如果能追随理想而生活，本着正直自由的精神，勇敢直前的毅力，诚实不自欺的思想而行，则定能臻于至美至善的境地。

——居里夫人

二、兴趣使然，矢志不渝

兴趣是最好的老师。我国著名数学家陈景润，从小热爱数学。强大的兴趣爱好，驱使他对数学无限迷恋，终于取得震惊世界的建树。

自然科学的“皇后”是数学，数学的“皇冠”是数论，“哥德巴赫猜想”则是皇冠上的明珠。200多年前，一位名叫哥德巴赫的德国数学家，提出了“任何一个大于2的偶数均可表示为两个素数之和”，简称“1+1”。可是他倾尽全力，也未能证明出来。俄国圣彼得堡的著名数学家欧拉得到求助的邀请后，挖空心思，费尽脑筋，始终不得其解，直至生命结束。之后，哥德巴赫也带着深深的遗憾离开了人世。

“哥德巴赫猜想”这一200多年来悬而未决的世界级数学难题，曾吸引了成千上万的各国的数学家的注意，而真正有胆识的挑战者却寥寥无几。我国杰出的数学家、中国科学院院士陈景润先生呕心沥血证明了“1+2”，被誉为“陈氏定律”，离“1+1”只有一步之遥。中国数学家们一致认为，陈景润是在挑战解析数论领域 250 年来全世界智力极限总和。这需要何等的勇气、智慧、毅力和艰辛！这是震惊世界的伟大奇迹！一位著名的外国数学家十分敬佩地赞许道:“他移动了群山。”

陈景润1933年5月出生于福州市。打从数手指头玩开始，就对数字产生浓厚的兴趣。一旦哥哥放学，他就急切地央求哥哥给他讲算术。稍大一点，则挤出帮妈妈干活的空隙，忙着练习写字和做算术。上小学后，因为家庭贫困，又体弱多病、性格内向，他经常受人欺负。为了争口气，有出息，小景润咬紧牙关，把身心所受的痛苦化为学习的动力，成绩一直拔尖，以全校第一名的优秀成绩，顺利考入中学。陈景润与“哥德巴赫猜想”的结缘，归功于高中的数学老师沈元。是他把“哥德巴赫猜想”之谜介绍给了同学们。“哥德巴赫猜想”像磁石一般吸引着陈景润，使他魂牵梦绕，立志要为摘取数学皇冠上的明珠而奋斗！从此，陈景润开始了艰难的跋涉。

1953 年陈景润从厦门大学数学系毕业。为了破解“哥德巴赫猜想”之谜，他留校期间在百忙中，仍然坚持不懈地学习数学科学，特别是对数论具有浓厚的兴趣。他系统地学习了著名数学家华罗庚的数学专著。为了直接阅读国外资料，掌握最新信息，他在继续学习英语的同时，又攻读俄语、德语、法语、日语、意大利语和西班牙语。对于一个数学家来说，自学多国语言是常人无法做到的。难怪在旁人眼中他是个孤独的“痴人”和“怪人”。

为了使自己的梦想成真，陈景润无论是严冬或是酷暑，在6平方米的斗室里，食不甘味，夜不成寐，凭着聪明的头脑潜心钻研，用一支笔，耗去6麻袋草稿纸，令人难以置信地创造出了“陈氏定律”“1+2”的辉煌。要知道，外国数学家在证明“1+3”时，使用的是高速计算机，而陈景润进一步证明的“1+2”却完全依靠笔、纸和头颅。

重病中的陈景润，始终念念不忘他的梦想，他说：“我知道我的病早已严重起来，我是病入膏肓了。细菌在吞噬我的肺腑内脏，我的心力已到了衰竭的地步。我的身体确实是支持不了啦！唯独我的脑细胞是异常的活跃，所以我的工作停不下来。我不能停止……”

大凡好动的孩子、天资聪慧的孩子，总喜欢把他感兴趣的家里的东西如时钟、收音机、玩具等拆卸开来，一探究竟。有的家长认为这是孩子不懂得珍惜父母辛勤劳动的成果，是搞破坏并加以制止，甚至还会责罚孩子。有见识的家长则常会支持孩子的行为并加以正确的引导，使孩子从小就能在宽松的家庭教育中，在兴趣中渴求找到解决问题的方法，在寻求答案中享受知识的快乐。

美籍华裔科学家钱永健是2008年诺贝尔化学奖得主之一。他在儿时因为患有气喘的毛病，所以不得不长期待在家里，无法进行耗费体力的户外活动。由于他喜欢上了能产生奇妙色彩的化学，因此常常数小时待在地下实验室专注于化学实验并乐此不疲。有一次他在实验中不小心引爆了自制的火药，导致家中一张乒乓球桌被烧焦。

16 岁的钱永健凭借一个金属易受硫氰酸盐腐蚀的调查项目获得全美“西屋科学人才选拔赛”中的一等奖。这项比赛后更名为“英特尔科学人才选拔赛”，是美国历史最久、最具声望的科学竞赛，参赛者以高中生为主，又称“少年诺贝尔奖”。

钱永健刻苦努力，20 岁时就在哈佛大学取得了化学和物理学学士学位。在英国剑桥大学留学期间，他不满足于化学领域的研究，选择了分子生物学，而后又转入了海洋学。因为蓝色的大海深深地激发了他的兴趣。“我梦想着在海洋上远航，那样一定很浪漫，但我最终发现它（海洋学研究）完全不是这样。我的研究只是在海湾中测量石油污染的程度，我发觉自己根本不关心藻海的高度。”就这样，对海洋失去兴趣的他开始专注于一个看上去永远充满神秘色彩的领域：人类大脑。他也因此获得了生物学博士学位。

1962 年，日本科学家下村修从生活在美国西海岸近海的一种水母身上分离出了绿色荧光蛋白。20 世纪 90 年代，美国科学家沙尔菲指出绿色荧光蛋白的发光特性在生物示踪方面有极高价值。钱永健痴迷于绿色荧光蛋白的色彩，为了解绿色荧光蛋白怎样发光做出了杰出贡献。他改造绿色荧光蛋白，通过改变其氨基酸排序，制造出能吸收、发出不同颜色光的荧光蛋白，有蓝色、青色和黄色，并使它们发光更久、更强烈。

钱永健无论是学习或科研都坚持走自己的路，按他的兴趣和意愿使学习和科研“完美地契合自身个性的深处”。

［智慧箴言］

成功的真正秘诀是兴趣。

——杨振宁

三、环境激发创新，良师益友共创辉煌

苹果公司的创始人史蒂夫·乔布斯是一个被领养的私生子。他自强不息，勇于创新，永不服输，终于成为“可怕的微机小子”。

乔布斯的成长经历离不开客观环境和良师益友的影响。

史蒂夫·乔布斯读中学时的校址正好处于硅谷的腹地洛斯阿尔托斯。在这里不仅居住了大量的电子工程师，高新电子公司也如雨后春笋般不断涌现，各地的科技精英蜂拥而至。街头巷尾的人们谈论的话题都是电子技术的新发现，商店里的电子产品和电子元器件琳琅满目，令人眼花缭乱，甚至在垃圾场也能随时淘到能使用的电子零器件。少年乔布斯身处这样的环境，耳濡目染，自然对电子技术产生了浓厚的兴趣。

他和好友比尔·费尔南德斯很快就成为电子发烧友。他们参加了学校的电子兴趣班，学到了不少有趣的电子知识。

乔布斯的邻居拉里·朗是惠普公司的工程师，是个孩子王。有一天，他在自家过道上安装了一个扩音器，配上麦克风和扬声器，然后叫孩子们对着麦克风大声说话，声音被扩音器放大了，就像猛兽在吼叫，这使孩子们又惊又喜。

乔布斯被神奇的声音深深地吸引，连续几天晚上到朗先生的家里请教扩音器的原理。朗先生不吝赐教，还把乔布斯心仪的炭精麦克风慷慨地赠送给他，知道他爱鼓捣东西，还特意送给他一个袖珍的电子工具盒，里面配有一套小型工具，还有插件板、电阻、电容等。乔布斯如获至宝，之后经常用一些廉价的处理零件组装音响设备和晶体管收音机等。经过多次实践，乔布斯感到自己可以成为电阻行当的能工巧匠了。他说：“袖珍工具盒让我相信，我能做出任何东西。”

朗先生还推荐乔布斯参加了惠普公司的探索者俱乐部。这个俱乐部的成员都是爱好电子的学生。每到星期二的晚上，惠普公司的工程师就会给少年电子迷们举办讲座，内容包括电子科技知识、电子发明新动态以及惠普公司正在进行的研究项目等，非常受欢迎。乔布斯感到那儿就是他的天堂。

探索者俱乐部鼓励电子迷们学习做一些项目，培养动手能力。乔布斯决定做一台原理不太复杂的频率计数器，可以用来测量电子信号的频率。乔布斯鼓捣了一阵子，最困难的问题是几个关键的电子元件市面上根本就无法买到。乔布斯心想，惠普公司一定有。他灵机一动，在电话黄页上搜寻到了公司的创始人、大名鼎鼎的公司 CEO 威廉·休特利的家庭电话。乔布斯大胆地拨通了电话。乔布斯不仅如愿以偿地得到了他梦寐以求的电子元件，休特利还特别安排乔布斯暑假在惠普公司制造频率计数器的工厂打工。

乔布斯若不是在硅谷的客观环境的熏陶下就成不了电子发烧友，加上专家的耐心指引以及他自身强烈的创新欲望的驱使，最终和志同道合的伙伴成就了一番大事业。

乔布斯 15 岁时结识了比他大 5 岁的史蒂夫·沃兹尼克。两个史蒂夫趣味相投，相见恨晚。沃兹尼克当时是大二的学生，已经是业余电子专家、电脑天才，他当时就自己设计、制作了一台“奶油苏打电脑”。乔布斯有一种潜在的进取意识、天生的商业精神，这是沃兹尼克所没有的。两个史蒂夫的联手，促成了 6 年后“苹果王国”的诞生。

[智慧箴言]

离开人才荟萃的中心，呼吸不到思想活跃的空气，不接触日新月异的潮流，我们的知识会陈腐，趣味会像死水一般变质。

——巴尔扎克

四、社会需求产生强烈创新动力，为了“饭碗”建立奇功

民以食为天是颠扑不破的真理。为了天下粮仓的充盈，为了中国人的“饭碗”让世界放心而呕心沥血的正是我国的农业科学家、“杂交水稻之父”袁隆平先生。

袁隆平是中国工程院院士、国家杂交水稻工程技术研究中心主任，曾荣获国家发明奖、创造与发明金奖、何梁何利基金奖、首届国家最高科技奖、世界粮食奖等奖励。

中国是一个人口大国，社会稳定的首要任务就是要让老百姓吃饱饭。袁隆平目睹过旧社会老百姓缺吃少穿的惨状，亲身经历过20世纪困难时期粮食奇缺的困境，立志要解决占世界人口25%的中国人的吃饭问题。

袁隆平1953年毕业于西南农学院农学系。他在湖南先是教书育人，也做一些农业科研的工作。当他发现水稻的产量比较低时，就一门心思地研究如何培育优良品种，提高水稻的产量。

杂种产生优势，是自然界的普遍现象。水稻是一种自花授粉的植物。一株水稻只要一开花，雄花自然就会给同株上同时开放的雌蕊柱头授粉。按照传统理论，就根本没有杂交水稻一说。袁隆平不相信传统的观念，把杂交水稻的研究作为自己奋斗的理想和苦苦追寻的目标，不畏艰难，百折不回。

1961年，袁隆平偶然在试验田里发现了一株地地道道

的天然杂交水稻，这令他欣喜若狂，他决定跳出“无性杂交”学说的束缚，开始进行水稻的有性杂交试验。

1966年2月，袁隆平首次提出了通过培育雄性“不育系、保持系和恢复系”的三系法培育杂交稻的科学理论。这一发现震惊了农业界和科技界。

1972年，袁隆平领导的团队率先培育成功我国第一个实用水稻雄性不育系及保持系；1973年，协作组通过测交找到了水稻雄性不育恢复系，至此，三系配套难关全部攻克，奠定了杂交水稻从理论到现实的基础。从某种意义上说，杂交水稻培育已经宣告成功。

随着杂交水稻“优势关”“制种关”的相继攻克，袁隆平培育杂交水稻的梦想距离现实越来越近了。1974年，培育成功第一个强优势组合“南优2号”。1975年，研究出一整套生产杂交种子的制种技术。1976年，三系法杂交稻开始在全国大面积推广，实现比常规稻平均每亩增产20%。

为了加快育种的步伐，袁隆平像候鸟一样，每年有1/3的时间留在海南育种和实验。他与季节赛跑，被誉为“追赶太阳的人”。

三系法杂交水稻的成功，举世惊叹。但袁隆平并没有就此止步。他感到三系还存在配组不自由、种子生产环节多等问题。他大胆地提出了育种方法从三系向二系再向一系迈进的战略设想。

1987 年，两系法研究被列为国家“863”计划项目。袁隆平组织全国 16 个单位协作攻关。1995 年，两系法杂交水稻大面积推广，到 2000 年累计面积达 5 000 万亩 (1 亩＝1/15 公顷)，平均产量比三系法增长 5% 以上，续写了“东方魔稻”新篇章。

与此同时，袁隆平已经把目光聚焦到了超级杂交水稻的研究上。在超高产杂交水稻选育的技术路线，采用的方法是把塑造优良的株型与杂种优势有机结合起来，旨在提高光合作用的效率。经过 5 年攻关，2000 年，超级杂交稻达到农业部制定的第一期目标：实现百亩示范片亩产 700 千克以上；2004 年，实现百亩示范片亩产 800 千克的第二期目标；百亩示范片 900 千克的第三期目标在 2010 年提前实现。

袁隆平不仅时刻守望着中国人的“饭碗”，还惦记着世界人民的“饭碗”问题。1980 年，杂交水稻作为我国出口的第一项农业专利技术转让美国，引起国际社会的广泛关注。20 世纪 90 年代初，联合国粮农组织将推广杂交水稻列为解决发展中国家粮食短缺问题的战略措施。

袁隆平怀着“造福世界人民”的宽广胸襟，多次赴国际水稻研究所开展合作研究，10 多次赴印度、越南、缅甸、孟加拉等国指导杂交水稻栽培，20 多次举办杂交水稻国际培训班，为 30 多个国家培训技术骨干 500 余名。截至 2006 年，杂交水稻在东南亚、美洲、非洲等 40 多个国家和地区被研究或引种，种植面积达 150 万公顷。

在袁隆平就任美国科学院院士的就职典礼上，诺贝尔奖获得者、美国科学院院长西瑟罗纳介绍了袁隆平当选的理由：袁隆平先生发明的杂交水稻技术，为世界粮食安全做出了杰出贡献，增产的粮食每年为世界解决了 7 000 万人的吃饭问题。顿时，全场响起了潮水般经久不息的掌声。

[智慧箴言]

成功的秘诀，在永不改变既定的目的。

——卢梭

五、采百家之长，突显个人价值，创造商业价值

意大利发明家伽利尔摩·马可尼是 1909 年诺贝尔物理学奖得主之一，被世人称为“无线电之父”。他的一生，都在为使无线电能够有实用价值而创新不断。实现无线电通信是他的梦想，也是他充分体现个人价值的理想。

马可尼天资聪慧，勤奋好学。14 岁时就对赫兹发现的电磁波感兴趣。16 岁那年，他仔细学习了老师介绍给他的赫兹实验的有关知识。17 岁，他一边实验一边大量搜集资料，把先进的见解和得失弄明白后，集各家之长，用在自己的装置上，避开了很多弯路。

1895 年，21 岁的马可尼在父亲的花园里进行了一次非常成功的电磁波传递信号实验。他用的发射装置是李奇改进的火花式发射机；接收机带着一根天线同波波夫的很相像；金属屑检波器是洛奇改进过的那种。秋天，他把电磁波的传送距离扩大到了 2.7 千米，获得成功。

1896 年 6 月，马可尼的发明取得了英国政府的专利。在电信局权威人士普利斯的支持下，他在邮电总局大楼顶上与相距 300 米远的一座银行大楼之间成功地进行了试验。几个月后，他在索尔兹伯里平原进行了无线电信号实地收发试验，距离达到 8 千米。12 月 12 日，他在伦敦科技大厅的现场试验，轰动全场。全英格兰都知道了马可尼和他的无线电报。

一项发明，只有当它达到商业应用的水平，才算有了实在的价值。1898 年 7 月，马可尼的无线电报装置正式投入商业使用。首次使用是替爱尔兰首都都柏林的《每日快报》报道快艇的比赛实况，获得满意效果。12 月，他在南海岬灯塔和一艘灯船之间建立了无线电通信。灯船用刚装上的收发报机向南海岬灯塔的电台报告有一艘轮船在哥德文搁浅，使海军总部价值 5.2 万英镑的财产免受损失。就是这艘灯船在第二年 3 月与一艘邮船相撞，幸亏它安装了无线电报装置，及时发出求救消息，南海岬才能立刻派救生艇，把遇难的船员全部救了起来。这是无线电首次为营救海难立了功。

1899 年夏，马可尼成功地实现了英法海峡—多佛尔海

峡的无线电报联络，把通信距离增大到了45千米。当年7月，马可尼的无线电通信装置第一次在英国的海军演习中使用。英国皇家海军舰艇“亚历山大”号、“欧洲”号、“女神”号都安装了他的装置。演习成功后，英国皇家海军同他签订了合同，要求他第二年给英国海军的28艘军舰和4个陆上通信站安装无线电通信装置。这是他签订的第一份合同。

1899年11月15日，马可尼在大西洋上的试验使无线电通信距离第一次突破了100千米的大关，达到了106千米。

1900年10月，马可尼在普尔杜建立起第一座大功率发射台，天线最终采纳的是用很多根垂直天线排成扇形，结构牢固，抗风性强。初次试验，通信距离达到322千米。

1901年底，马可尼开始实施他的越过大西洋进行通信的宏伟计划。他首先选定了一座圣约翰斯港口附近的小山(被称为信号山)。几经试验，他们赶制了一个正六边形的大风筝，风筝牵引着天线，天线下端固定在一根粗大的电线上，通过一根引线引进电报机房。风筝在大风中摇曳，终于在120米高空被控制住了。1901年12月12日12点30分，电极键发出了“滴答”声。三个微小而清晰的“滴答”声在马可尼的耳边响起。啊，千真万确，这是从大西洋彼岸传来的信号！肯普接过听筒，兴奋地贴在耳朵上。很快，他喊了起来：“是他们的信号，是的！三点短码！”

在莫尔斯电码中，“三点短码”代表“S”字母。这个信号是马可尼预先约定的。现在，从普尔杜发来的“S”字母信号，越过相隔3 000多千米的大西洋，被他们清晰地收到了！马可尼和大家一样，欣喜若狂。他确信，不用电缆进行横跨大西洋通信的时代已经不远了。

1902年10月，马可尼在普尔杜发射台和美国轮船“费拉德尔菲亚”号之间做了进一步的试验。“费拉德尔菲亚”号在距离普尔杜发射台2 500千米的地方收到了从普尔杜发出的电报信号，电文有确切的内容。加拿大政府对这次试验的成绩很满意，特地拨款1.6万英镑，让马可尼在格拉斯湾建立一个大功率的发射台。1902年12月，在相隔3 000多千米的普尔杜台和格拉斯湾台，成功地进行了通信试验。两台之间的通信效果俱佳。第一份从加拿大拍往英国和意大利的正式电报，是马可尼发给英国国王和意大利国王的。两国国王收到电报后都回电表示感谢。美国十分羡慕加拿大与英国之间的通信成功。不久，他们就请马可尼主持，在科德角修造了一座大功率的发射台。从那里发给英国的第一份无线电报是美国总统发给英国国王的。无线电成了各国政府首脑和国王的宠儿。

马可尼和他的公司的发明，获得过300多项专利。他的一生就是尽可能地把自己的创造发明转换成具有使用价值的产品的一生，他在为人类造福的同时，也充分体现了个人的价值。

马可尼并没有超人的聪明，可是他善于学习别人的长处；他没有单独创造什么，却能够把很多天才的创造结合起来，变成无价之宝。他不是无线电的第一拓荒者，但是他取得了最大的成功。他是集大成者，在很多研究无线电的人当中第一个登上高峰，成为杰出的无线电发明家。

[智慧箴言]

你若要喜爱你自己的价值，你就得给世界创造价值。

——歌德

六、发挥一技之长，在创新中快乐创业

俗话说，人皆可以为尧舜。创新并不是大科学家、大发明家的专利，平凡的人也有创新的机会。凡是大脑健全的人都有创新的潜力。这和年龄、性别以及文化程度没有多大关系。我国人口众多，幅员辽阔，在民间具有一技之长的能工巧匠不计其数。他们熟悉当地的自然环境，又在长期工作、学习、劳动中掌握了一定的知识技能，帮助乡亲们摆脱繁重的体力劳动，让生活更加美好，就是他们创新的动力。同时，他们也在创新中实现自己的创业。

中国是一个农业大国，随着城镇化进程的加速，大量农民工进入城市，农村劳动力匮乏，大量农产品的收割因缺乏劳动力必然要借助农业机械来帮忙。长期生活在农村的能工

巧匠，虽然并不都年轻，学历也不高，但是他们发挥一技之长，创造发明的农业机械确实派上了大用场。

山东胶东人朱洪建长期从事农机销售，农机知识丰富。他发觉传统的背负式玉米收割机十分笨重，并且功能单一，于是一心想创新出新的多功能农田收割机。在这种强烈的欲望驱使下，朱洪建经过反复试验和改进，新型的多功能农田收割机终于获得成功。它比传统的玉米收割机使用起来具有轻便灵活的特点，实现了机器在自动收割玉米的同时还能对其扒皮，并对收割的秸秆就地粉碎。这台机器换上旋耕设备可以打碎土块，完全满足小麦播种的需要，还可以组装成小麦收割机，比传统的拖拉机收割更加节约能耗。

内蒙古和林格尔县大量种植固沙的灌木。这种灌木生长4至5年后就枯死成为叫柠条的东西。这些柠条必须清除干净，否则就会影响新苗的生长。村民们常常为了砍掉这些柠条而大伤脑筋，毕竟人工清除费工费时难度较大。当地农民张新民对农业机械颇有研究，经过长期努力发明了灌木收割机。这种机械直接将收割了的柠条粉碎后自动打包，可以作为牛羊的饲料，也可以作为发电厂的燃料。使用这种机械一台一天的工作量相当于100人的工作量，同时对环境保护、物质的循环利用具有积极意义。

金秋时节板栗大量上市，街头巷尾销售糖炒板栗的叫卖声此起彼伏。栗子虽然好吃又极富营养，但是你可知道它有多难采集吗？首先，栗子的果实是生长在树梢上，要用竹竿才能把它打下来；其次，栗子的外壳长满尖刺且十分坚硬，要用特制的工具才能把它打开。在农忙季节，山民们又是欢喜又是愁，大量的栗子下树了，可挤栗子就太费工夫了。人工挤栗子是用一只脚把带刺的苞子踩住，然后再用特制的剪刀把栗子从苞子里剥离出来。安徽有个农民叫赖克富，虽然没有什么文化，但是他喜欢鼓捣机器，他做梦都想把挤栗子的机器搞出来。他不厌其烦地反复试验，成功地发明了一种板栗脱壳机。此机器可分离刺壳和栗子，可避免栗农在剥栗子过程中被刺扎伤，省时也省力。

在日常生活中，防盗是与老百姓休戚相关的大事，如何让自己的家门不被盗贼有机可乘，的确是人人关心的事情。浙江省浦江县的方荣光为了提高门锁的安全性发明了一种“光控密码锁”，做到了世界独一无二，锁到之处，无人能破的程度。这种产品的开发前景十分广阔。

福建省福州市市民林文的女儿因眼睛保护不及时而导致了失明。他伤心之余，痛定思痛后，决意要创新一种能使千千万万的少年儿童预防近视的简便易行的工具。他发现引起孩子近视的主要原因是孩子写字时坐姿不正确，往往握笔的手距离纸张太近，长此以往就容易造成近视。林文经过长期研究发明了防近视笔，使一支笔就能改善孩子们的坐姿。这种笔的笔芯里安装了小型的电子元件，能够帮助孩子们调整眼和纸之间的距离，从而使他们保持正确的坐姿。这种产品不易破损，耐摔、耐踩，经济适用，有很好的市场前景。

湖北省宜昌市的钓鱼爱好者梁恩钜，长期观察鱼儿的生活习性，他发觉用传统的鱼钩钓鱼鱼儿经常脱钩，还需要鱼漂。于是他在传统的鱼钩上又加上了一个鱼钩，并且省去了鱼漂。经过反复试验，研制出一种使鱼儿很难逃脱的新型鱼钩。 77 岁的梁恩钜发明的钓鱼神钩，不用鱼漂就钓起了 19 千克的大鱼，令人称奇。

[智慧箴言]

发明的秘诀在于不断地努力。

——牛顿

（方守默）

第三章　谈谈想象力

——张开想象的翅膀，让想象力在自由的空间中驰骋

青年科技创新，首先必须在思维方式上具有足够的想象力。没有想象力就不可能产生创新的思维。思想僵化的人与创新创业必然无缘。

思维如果没有了想象，就像彩虹失去了颜色、鸟儿失去了翅膀。世界上的一切都会因为人的思维失去了想象力而变得死气沉沉、索然无味。没有生机和活力的思维，必然是僵化且缺乏创意的。

人类是智慧动物。人与动物的根本区别就在于人的大脑具有丰富的高级的思维活动。人的思维活动分为逻辑思维和非逻辑思维两种。

逻辑思维方式，一般都是遵循分析、综合、归纳、演绎、比较等固定模式进行逻辑推论来思考问题。总体说来，人的思维活动是以逻辑思维为主导兼有非逻辑思维的统一体。传统科学肯定和强化了科学创造是一个逻辑思维过程的观念。

然而，对大脑的生理构造和心理学的大量实验表明，在

人类的思维领域中，确确实实地存在非逻辑思维。

想象力就是人的一种非逻辑思维活动。

人的大脑皮层由大小、形状和排列顺序不同的140亿~150亿个神经细胞组成。这些细胞又分别组成若干集团，各司其职。心理学家认为，大脑有四个功能部位。这四个功能区，使人的思维能力相应地分为感受力、记忆力、判断力和想象力四种。

想象思维在非逻辑思维的诸多方法中，起到前奏的作用。所谓想象思维，是指思维主体对感知的事物和材料进行新的建构而创造出新形象的思维过程。即是从保存在大脑记忆中的表象出发，把这些表象以不同的方式组合起来，形成新的形象或者构想的这样一种思维过程。

一、想象力与科学梦想结伴而行

人类在探索大自然的奥秘时，离不开科学技术的进步。在科学技术的发展进程中，想象力总是和“幻想”“梦想”结伴而行的。

就拿空间科学技术来说吧，中国人自古以来就有“上九天揽月”的梦想。人们在“飞天”梦想中，首先对月亮充满了幻想。在中国古代的神话故事里，“嫦娥奔月”的故事尤为经典。

故事说的是，古时候天空中有十个太阳，土地都被晒焦了，人快活不下去了。有个叫后羿的年轻人独自登上昆仑山顶，拼尽全力，拉开神弓，一口气射下了九个太阳。他的盖世奇功，使老百姓过上了好日子。王母娘娘被他的英雄行为所感动，送给他一包得道登仙的不死药。这个秘密被心术不正的蓬蒙发现，他打算趁后羿不在家的机会，抢走仙药。为了不让仙药被蓬蒙抢走，慌乱中，后羿的妻子嫦娥把药含于口中，不慎吞了下去。可怜的嫦娥，轻飘飘地怀抱心爱的小白兔独自飞向了广寒宫。从此，除了为她捣药的玉兔陪伴在身边，就是无聊和孤独了。

在中国古代的诗词中，有关“咏月”的极品应是宋朝苏轼的词《水调歌头》了。这是他在中秋之夜，因为怀念自己的弟弟苏辙而写的：“明月几时有？把酒问青天。不知天上宫阙，今夕是何年。我欲乘风归去，又恐琼楼玉宇，高处不胜寒。起舞弄清影，何似在人间！转朱阁，低绮户，照无眠。不应有恨，何事长向别时圆？人有悲欢离合，月有阴晴圆缺，此事古难全。但愿人长久，千里共婵娟。”词人要是没有丰富的想象力，怎能写出如此富有诗情画意的作品呢？

而今，中国人的“飞天梦”正在一步步变为现实。神舟飞船已经三次搭载宇航员光临太空。“嫦娥”飞行器按计划实施三项任务，而第一项绕月计划已经完成。

“嫦娥三号”正在执行第二项任务，即登月计划。“嫦娥三号”探测器已经顺利实现在月球上的软着陆，“玉兔”

巡视器正在按计划漫步月球，完成它在月球上的拍摄任务。月球车在起飞当天就在新浪“开”了微博，“他”的名字叫“@月球车玉兔”。他每天都会在微博上记录自己的工作和情绪，回答网友的提问，努力成为第一台爱岗敬业、热心科普的中国月球车。用第一人称的叙述方式让月球车不再是冷冰冰的科学仪器，而是有了自己的个性和情感——

他“爱面子”，当得知苏联月球车2号足足走了37千米时，他会说“我也要加油”；他还会“护短”，当嫦娥“三姐”身上的一架照相机出现故障时，他一边说“照相机坏掉不是姐姐的错，不许说她坏话”，一边解释故障的原因是“月夜零下200 ℃的残酷低温”；他又是一只多愁善感的兔子，会感叹宇宙规则的冷酷无情，会羡慕地球故乡的人们的生活，还会在得知自己不能再次醒来时，提前祝大家新春快乐……

中国科普作家协会副理事长卞毓麟先生认为，如此严肃的国家重大科技项目，采用第一人称的拟人手法，用网络萌语来进行科普宣传，这还是第一次。这样的传播方式值得提倡并借鉴。

中国人“飞天梦”的第三项任务就是“嫦娥”的回收计划。至此，中国已经成为全球第三个实现登月计划的国家。

有意识想象，是按一定的思路，对某个问题进行有步骤和连贯的思考，设想解决问题的方法，或构造表现事物本质的形象。有意识想象在科学研究中是必不可少的。哥白尼经过 20 多年的天文观测、计算，大胆地勾画出了新的宇宙图景。道尔顿根据当时已经发现的大约 30 种元素，推测出一切物质都是由元素组成，创立了近代意义上的原子理论。卢瑟福在 α 粒子散射实验基础上，设想出形象的原子核模型，这些都得益于想象。

掌握了丰富知识的科技工作者，在科学研究中，通过细致入微的观察和反复的科学实验，积累了大量的科研资料，但是，要取得科研的成果，必须要把零碎的资料去粗取精，在进行缜密的逻辑思维的同时，还要有丰富的想象力，才能取得成功。正如英国物理学家廷德尔所说："有了精确的实验和观测作为研究的依据，想象力便成为自然科学理论的设计师。"

[智慧箴言]

想象力比知识更重要，因为知识是有限的，而想象力概括着世界上的一切，推动着进步，并且是知识进化的源泉。严格地说，想象力是科学研究的实在因素。

——爱因斯坦

二、想象力为科学假说打开一扇门

恩格斯曾经这样说过，只要自然科学在思维，它的发展形式就是假说。

最初的科学假说，是一种未经纯化的猜测和假定，并不是从原有的逻辑思维体系中顺理成章地推理出来的，而是在原科学理论与科学事实发生矛盾时，通过非逻辑思维的猜测与想象来弥补现象与理论暂时无法揭示的联系，其实质是一种思维的质的飞跃，是思维在通过酝酿期后的爆发的产物。

查尔斯·威尔逊1894年在苏格兰本尼维斯山顶的天文观察站对云雾现象产生浓厚兴趣，并进行了认真的观察和研究。他在形容当时的美景时说道："当太阳的光芒射着山顶的云层而我正立身于湿润的云雾之中时，太阳的光环，还有山影周边的光环都是那样美妙，让我兴奋不已，使我产生在实验里模拟这种现象的冲动……"经过不懈的努力，他终于发明了一种探测带电粒子性质的重要装置——云室，从而找到了用蒸汽凝聚使带电粒子的径迹成为可见的方法。

自从德国物理学家伦琴发现X射线以来，吸引了许多科学家去研究这种具有巨大穿透力的辐射。1896年，法国物理学家昂利·贝克勒尔对一种称为硫酸双氧铀钾的荧光物质进行了研究。经过多次实验，他发现了铀的放射性现象。这是人们发现的第一个放射性元素。

居里夫人不仅测量出了铀的辐射强度，而且发现了沥青铀矿中的放射性比已经测得的铀的放射性强得多。经过反复测量，确认无误后，居里夫人大胆假设在沥青铀矿中存在一种比铀的放射性强得多的未知的新元素。一些物理学家认为这简直是天方夜谭，异想天开，而她却坚信自己的推断。为了寻找这个新元素，她的丈夫比埃尔·居里放下自己的研究工作和妻子共同进行实验研究。他们通过几个月的繁重劳动，从大量的沥青矿渣中，一点一点地去除杂质，提取未知的元素。1896 年 7 月，他们宣布了新的放射性元素钋的存在，而且它的放射性比铀强 400 倍。同年底，他们宣布了镭的发现，它在沥青矿渣中的含量更加稀少，但它的辐射强度比铀强 200 万倍，这个发现轰动了整个科学界。

有的人始终不相信镭的存在，对居里夫妇挑剔地说，如果你能把镭放在我们面前，我们就相信它的存在。居里夫妇又花了几年的工夫，在简陋的工棚里，用最原始的方法历经千辛万苦，于 1902 年从数吨沥青矿渣中分离出 1% 克的氯化镭来。

1964 年，科幻小说作家阿西莫夫参观了世博会后，在刊于《纽约时报》的文章中预测了 50 年之后（2014 年）的生活。事实表明，这些预测非常有先见之明，下面是一些他当时做出的预测。

（1）照明。“到 2014 年，电用发光面板将广泛使用。天花板和墙壁能够轻微发光，并且通过按钮的触摸将出现各种各样的灯光颜色。窗户不再需要超过一个的陈旧的按钮来打开，并且能够屏蔽严酷的阳光。不透明的玻璃能根据接收到的光的强度自动改变光线。”事实上，我们所处的这个年代，LED 照明真的已经成了建筑的一部分，变色玻璃也变得越来越便宜。

（2）厨房。“各种小玩意将继续减轻人类单调乏味的工作。厨房能够分区并且设计成自动准备食物、加热水并且冲咖啡、烤面包、煎鸡蛋、烤培根。可以在头天晚上预定早餐，食物可以储存在冰箱直到要用的时候拿出来烹饪。我怀疑即使是在 2014 年，在厨房有个小小的空间能够手动准备更多人的餐点。这个想法还是很明智的，尤其是在同伴来家里的时候更为重要。”事实证明，在这个方面他完全低估了快餐和冷冻食物的快速发展。

（3）机器人和电脑。“到 2014 年，机器人不会很普遍，也不会很精致，但是它们将存在。这次 IBM 公司展出的产品没有机器人，但是他们致力于计算机的开发，其计算机的复杂性让人震惊，并且能够完成把俄文转换成英语的任务。如果今天机器就这么智能，那么 50 年后的机器什么不能做？到时将会有小型的电脑开发出来作为机器人的大脑。”1964 年电脑并不普遍，而他却有如此的预言，也可见其想象力的强大。

（4）太阳能。“在沙漠和半沙漠地区比如亚利桑那州、内盖夫和哈萨克斯坦，大型太阳能站将投入使用。在人口多但是多云多雾的地区，建太阳能站不太实际。2014 年的展览将显示空间太阳能发电站的模型，通过巨大的设备来收集太阳光线，然后把这些能量辐射到地球。”

（5）工作。“到公元2014年的工作机器将会比人类做得更好，因此人类将陷入无边的无聊中，这种无聊会越传越广，且每年大量递增，带来严重的心理、情感和社会后果。而且我敢说到2014年精神病学无疑将会成为最重要的医学专业。少数幸运的可以参与创造性工作的人将会是人类真正的精英。”

如果他是在当上无线电器公司代言人的15年后写下这篇文章的话，可能又是一个完全不同的愿景吧。

[智慧箴言]

没有大胆的猜测就做不出伟大的发现。

——牛顿

三、科学文艺为科学技术插上想象的翅膀

在科学文艺作品中，有10多种不同的形式，如科学散文、科学小品、科学童话、科学戏曲、科学诗词、科学曲艺、科学小说等。科学小说还可分为科学言情小说、科学侦探小说、科学幻想小说等。

英国著名的天体物理学家霍金在他的《时间简史》科普读物中，用极为丰富的想象力、奇妙的构思、优美的语言，字字珠玑，将从“黑洞”到“白洞”的时空隧道称为“虫孔”。

他认为落入“黑洞”的物体会通过“虫孔”，进入它们自身的极其微小的婴儿宇宙“白洞”中去，从而实现一个时空向另一个时空的量子转变，这就是宇宙的诞生。他将深奥难懂的宇宙诞生的“量子宇宙论”的基本观点，讲得生动、形象、轻松和明白。正如霍金自己所言：“我们的目的是让真正的科学变得和科幻小说一样令人兴奋。”霍金超凡的想象力和抽象与形象思维的高度融合能力，使他的《时间简史》《果壳中的宇宙》等高级科普读物，成为世界畅销书。

我国著名的科普作家高士其在《原子的火焰》一诗中，用丰富的想象力和浅显生动的诗句把极其枯燥、空洞的“能”的概念，形容得十分美妙：

风在海面上呼啸，
它能吹送帆船。
水在涡轮里叫唤，
它能使发电机发电。
煤在锅炉下呐喊，
它能使蒸汽上升开动火车。
汽油在内燃机里歌唱，
它能使汽车跑路，飞机航行。
这四种东西发出不同的声音，
都告诉我们，

它们就是“能”，

它们都是动力的泉源。

用文学的语言来憧憬未来的科技与社会，这就是科学幻想的使命。科学幻想毋庸置疑是为科学技术插上了想象的翅膀。科学幻想虽然不是科学技术本身，但它却与科学技术有着深厚的渊源。科幻作品奠基于现实的科学技术，以独特的构思、自由的时空背景设置，用润物细无声的方式，或者预言科技的未来发展趋势，或者畅想科技建构的某种未来世界，或者幻想凭借高新科技发现未来世界的新领域或者外星球。科幻架起了科学文化与人文文化的桥梁，让科学技术充满了浪漫主义的色彩。

科学幻想，是与科学的发展有关的一种天马行空的想象，不受现成的任何传统科学理论的束缚，不要求有任何的实证材料，但它又不同于神话、玄学，它是科幻作家在人类科学技术发展基础上想象的产物，是科幻作家用形象思维方法演绎出来的故事。

20 世纪 70 年代，我国著名作家叶永烈创作的中国最畅销的科幻小说《小灵通漫游未来》，以丰富的想象力和生动的语言启迪青少年的心智，促进了他们对科学的追求和对美好未来的向往。叶永烈根据当时科学发展的水平，以已有的前沿研究成果为基础，幻想了不久的未来会出现的几十种新发明，如气垫船、玻璃温床、反季节蔬菜、飘行车、机器人服务员、电视手表、掌上微型电视机、环幕立体电影、人造月亮、器官移植、人工控制天气、隐形眼镜等。

中国著名科幻作家王晋康，从20世纪90年代开始的20年间创作了80多篇科幻作品，曾荣获科幻大奖“银河奖”9次。他的作品感染了千千万万的读者，尤其是青少年，使他们对科技主导下的人类历史可能会出现的种种未来走向充满了好奇。他的小说以厚重的科幻构思来承载人文内容，用科学本身所具有的震撼力来打动读者。他的作品既贯穿着对科技的深情讴歌，也贯穿着对科技的深刻反思与批判。他对生命科学带来的伦理学、科技对人性的异化等方面有独到而深刻的，甚至是十分锋利的见解。当然，这些见解都基于厚重的科技知识。

2011年，他的新作《与吾同在》隆重问世。小说的主人公借用了《圣经》中带给人类生命的“外星上帝”。他把博爱的文明种子播撒人间，还常年关照地球生物种群尤其是人类的发展。但外星上帝的母星却因大爱之举耗尽国力，导致衰退反被自己播种的新文明之一所灭。辗转千年，再次复兴的外星文明将目光投向地球，打算把它作为自己的重生之地，却遭到了外星上帝关照下的地球人类的强烈抵抗……该故事直面人性中的丑恶，表达出的“共生圈”观念的哲学思考，使作品独具魅力。

刘慈欣在《三体 3》中，设计了一个人类避开黑暗森林打击以求长存的掩体计划，这是我们见所未见、闻所未闻的。这个计划“以木星、土星、天王星和海王星四大巨行星为掩体，避开黑暗森林打击的太阳爆发计划在四大行星的背阳面。建设供全人类移民的太空城，这些太空城紧靠各大行星，但不是它们的卫星，而是与行星一起绕太阳同步运行，这就使得太空城一直处于四大行星的背阳面。在太阳爆发时受到行星的屏蔽和保护计划建立 50 个太空城，每个可容纳 1 500 万人左右，其中木星背面 20 个、土星背面 20 个、海王星背面 6 个、天王星背面 4 个”。

除了我们列举的“小宇宙”“掩体计划”外，《三体 3》中刘慈欣创造的科学和技术随处可见，比如四维碎块、四维向三维的跌落、黑域（低光速黑洞）、曲率驱动飞船、阶梯计划、引力波发射系统等。

然而，正是这种逻辑性并不强的，以创新思维为特色的科学幻想，启迪了人类的科学想象力，挣脱现有科学理论的束缚，促使了人类开创出科学创造的新天地。从凡尔纳、威尔斯到阿西莫夫、克拉克等著名科幻作家的事例，从冲出地球的科学幻想到实现宇宙飞行，从潜入水下航行的科学幻想到潜艇的出现，从隐身的科学幻想到隐形飞机的出现等等，无数众所周知的事实就证明了这一切。

[智慧箴言]

真正的科学家应当是个幻想家。谁不是幻想家，谁就只能把自己称为实践家。

——巴尔扎克

四、培养想象力必须从娃娃抓起

人的大脑随着年龄的增长而不断成熟。

当孩子刚刚学会走路的时候，稚嫩的大脑没有任何的判断力和想象力，只有好奇心。由于心智尚未成熟，无知无畏，什么都敢干。吃不得的东西，拿起来就往嘴里塞；电源插座摸不得，他偏要用小手去摸一摸；还喜欢往洞和缝隙里钻，造成许多安全事故。

孩子渐渐懂事以后，思维也慢慢成熟了，想象力也越来越强。对不懂的事情总想问“为什么”。若得不到答案，就缠着大人不放，不断地发问。“十万个为什么”的问题就这样不断地提出来了。

从幼儿园开始，孩子经过小学、中学、大学或者职业技术学校的系统学习和长期的工作实践的积累，“为什么”的许多问题逐渐得到解答。

正规的基础教育中，“数、理、化”知识的标准答案都是唯一的。从传统教育培养出来的学生，一直以来固守着“学好数理化，走遍天下都不怕”的观念，加之应试教育中，学

生接受的逻辑思维训练远比非逻辑思维的训练多得多。所以，教育理念的落后禁锢了学生创新思维的开发。在2009年，全球21个国家接受教育进展评估组织的调查。中国孩子的计算力排名第一，想象力排名倒数第一，创造力排名倒数第五。问题就出在学校一味追求寻找标准答案，束缚了孩子们自由发挥的独立思考能力。在家庭教育中，听话的孩子，不闯祸，就是乖娃娃。无论学校或是家庭，常认为异想天开、主意多的孩子大多比较调皮，不好管。恰恰是这种传统的教育观念，慢慢地扼杀了孩子的想象力。比如说，有这么一道题——老师问："雪化了是什么？"有个孩子回答说："雪化了是春天。"结果老师说，你答错了，雪化了是水！其实，老师没错，孩子也没错。但是受挫折的是孩子，因为老师不仅不表扬他的想象力，反而用一般概念给予否定。

值得庆幸的是，如何培育孩子想象力的问题已经引起了不少学校和家长的重视。无论是小学的语文教材，还是课外读物，在这方面都已有所改进。如娃娃最喜欢的《脑筋急转弯》等书籍就有利于孩子想象力的开发。

还有一个例子：众所周知，太阳是个红色的大火球，可有个孩子却在图画本上画了一个绿色的太阳，结果很自然地被老师和家长纠正了过来。因为他们认为太阳就是红的，不该是其他颜色的。他们不懂得其实在这一个小小的绿太阳中，却包含着孩子丰富的想象力。好在人民教育出版社一年级语文《四个太阳》给孩子提供了文字依据：“夏天的太阳绿绿的；秋天的太阳金黄的；冬天的太阳红红的；春天的太阳多彩的。”

实践告诉我们，开发孩子的智力不要单纯地灌输大量的现成知识，让他们死记硬背，看上去似乎什么都懂，实际上则失去了探索未知世界的兴趣。孩子的想象力受到限制，传统的应试教育难辞其咎。要让孩子有更多的个人空间，让他们做做“白日梦”。

想象力人人都有，有的人想象力丰富，有的人想象力贫乏，这就需要开发想象力。想象力并非天赋，而是经由直接或间接的体验得来的，体验越多，想象力越丰富。图画书就是提供给孩子更多机会体验的好手段。通过勾画、品味丰富多彩的画面，孩子逐渐有了足够的能力想象并理解未知的世界，在脑海中形成新的影像。只要有了丰富的想象力，孩子肉眼看不到的东西，他可以慢慢地用“心”去体会。

［智慧箴言］

想象力作为一种创造性的认识能力，是一种强大的创造力量，它从实际自然所提供的材料中，创造出第二自然。

——康德

（方守默）

第四章　谈谈创造力

——学习不断，创新无限

整个人类的文明发展史，就是创造力实现的结果。每一个人都有创造的潜能。总体说来，创造力较高的人，通常有较高的智力，但有较高智力的人，不一定具有卓越的创造力。

知识是创造力的基础。它包括吸收知识的能力、记忆知识的能力和理解知识的能力。同时，还要掌握专业技术、实际操作技术，积累丰富的实践经验，努力扩大知识面、培养广泛的兴趣。除此之外，还必须要有良好的心理素质和顽强的拼搏精神。

一、迸发创造力的创新思维

思维的创新是激发创造力的首要条件，思想僵化的人，不可能有创造力。

由于中国的科技、社会和人的总体科学素养的相对滞后，大多数中国人的思维能力用于判断力的部分比较多，而想象力、灵感、直觉、联想、发散等等非逻辑思维相对少些，大概只使用了15%，大有潜力可挖，因此，思维的创新时不我待。

在科技工作中，要想取得创新成果，单靠逻辑思维的方式是不够的。逻辑思维是建立在现成的知识和经验基础上的，离开了已有的知识和经验，逻辑思维便无法进行。而非逻辑思维，超越了逻辑思维的固定思维模式，发挥丰富的想象力，让思维在自由的空间里驰骋。虽然这种思维方式也需要知识和经验的积累，但它不完全依靠知识和经验。

创新思维是一种克服惯性思维方式，打破常规的新的思维方式。它有助于人们进行开创性的活动，如发明新技术、形成新观念、提出新方案、创建新理论。因为创新思维是一种非逻辑思维活动，所以它具有开放性和灵活性的特征。这些特征主要有灵感思维、直觉思维、联想思维、逆向思维及发散思维等。

1. 灵感思维

无意识想象也叫“灵感”或者叫“顿悟”。它是指对某个问题冥思苦想而不得其解时，由于受某种启发，灵感一来，茅塞顿开，一下子找到了解决问题的关键，难题迎刃而解了。

爱因斯坦在《爱因斯坦文集》“论科学”的篇章中写道：“我相信直觉和灵感。”

爱因斯坦在1905年发表的“狭义相对论”，附有一个条件，即两个相对运动的体系必须是匀速的。那么，取消这个附加条件的“广义相对论”是否能成立呢？对于爱因斯坦

来说，这是另一座高山，他决心征服它！

爱因斯坦冥思苦索，日思夜想，仍找不出破题的路径。

一天，一个在高楼屋顶上搞装修的工人不小心摔了下来。所幸的是，他摔在一块很厚的草坪上，居然毫发无损。在谈及此事时，他告诉爱因斯坦，从高楼坠下时有一种失重的奇怪感觉。说者无意，听者有心。爱因斯坦心有灵犀，顿时有所领悟。他沉思片刻后，高兴地大叫起来："对啦，我找到关键啦！"

说起"浮力定律"，众所周知，这是由古希腊科学家阿基米德发现的。关于这个定律的发现，还有一个有趣的故事呢。

西西里岛上有一个国家叫叙拉古。一次国王亥厄洛命令金匠用纯金制作一顶王冠。王冠做好后，国王怀疑金匠在王冠里掺了白银，但是没有任何人能证明王冠里掺了假。于是，国王请阿基米德进行验证，并叮嘱他千万不能因此损坏了王冠。

阿基米德接受这个难题后，苦苦思索，夜不成寐，一时想不出更好的办法。

一天他去澡堂洗澡，浴盆里的水很满，身体刚进浴盆，水就溢出来了，当整个身体浸入水里时，排出的水就更多，同时他还感到有一种浮力把自己的身体往上托起来。阿基米德一闪念，欣喜若狂，他终于找到了解开王冠之谜的钥匙。

把王冠浸在水里，测出排出的水量，然后把一块同样重量的纯金也放在水里，再测出排出的水量。假如两次排出的水量是一样的，就证明王冠是纯金的。如果两次排出的水量不一样，那王冠肯定就掺了假。阿基米德测量的结果，两次排出的水量不一样，王冠排出的水量要多一些。因为白银的密度比黄金小，同样重量的白银体积比黄金大，所以掺了白银的王冠，排出的水量自然要多一些。国王知道自己受骗后，贪财的金匠被治了罪。

灵感思维具有突发性、偶然性和模糊性等特点。灵感往往是在不经意间和似睡非睡中，以一闪念的形式突然出现的。许多杰出的科学家都有在灵感的指引下取得卓越成就的体验。

德国化学家凯库勒为了研究苯分子的结构，已经疲惫不堪了。有一天，他坐在马车上，昏昏入睡。进入半睡眠状态后，他的大脑神经得到了短暂的休息，又不由自主地兴奋起来。梦中，他似乎觉得碳分子都活跃起来了，正在眼前翩翩起舞，结成一条长链。长链像蛇一样扭动着，突然一口咬住了自己的尾巴，盘成一个圆圈。

这时，凯库勒一下从梦中惊醒过来，不禁大喊一声：“我找到答案了，事实证明，苯分子是一个环状结构。”苯分子的结构的确是一个正六边形的几何形状。

只有注重知识的积累并善于开动脑筋和勤于思考、兴趣广泛、心情愉悦的人，灵感才会降临在他的头上。

2. 直觉思维

直觉思维，是靠人的知识和经验的积累来预测事物发展的结果。这是一种简化的思维过程，是一种“跳跃”式思维方式。

爱因斯坦曾经说过：“物理学家的最高使命是要得到那些普遍的基本定律，由此世界体系就能用单纯的演绎法建立起来。要通向这些定律，并没有逻辑的道路，只有通过那种以对经验共鸣的理解为依据的直觉，才能得到这些定律。”（《爱因斯坦文集》第一卷，商务印书馆，1976 年版，第 102 页。）

居里夫人通过长期的研究，发现放射强度与元素在化合物中的比例成正比。她凭着大胆的直觉、科学的推测，千辛万苦终于从大量的铀矿石中，提取到了放射性元素钋和镭。由此，放射化学这门新学科从此创立。

丁肇中在《探索》一文中写道：“1972 年，我感到可能存在许多有光的特性而又有比较重的粒子。”“我直观上感到没有任何理由认为重光子一定比质子的质量轻。”正是凭着对基本粒子的透彻研究和直觉的判断，他捕捉到了 J 粒子，并荣获 1976 年诺贝尔物理学奖。

3. 联想思维

联想是由于某人或某事而引起的相关思考。人们常说的

“由此及彼”“由表及里”“举一反三”等就是联想思维的体现。

人对事物的理解、知识和经验的积累，都存在联想的过程。客观事物的概念之间也是相互联系和相互过渡的。联想这种思维方法能够开阔人们的思路，找出事物之间的内在联系及发展线索，并从中做出创新。

联想的方法有许多种，主要有以下三种。

一是相似联想。由一种事物的性质、形态或者经验与另一种事物相类似，于是产生联想。例如，从菊花的性质联想到可以开发成延年益寿的保健饮料。

二是相反联想。由一种事物在特征、性质或者经验上与另一种事物恰恰相反，于是产生联想。这种联想，可以是由事物的外部特征所引起也可以由事物的内部特征所引起。例如，日本日立公司由于一度的顾客的盲目消费和一些公司竭泽而渔的一槌子买卖的做法，使企业遭受损失。公司汲取反面教训，转而帮助消费者设计生活，指导人们妥善使用电气化产品，重新赢得了市场。

三是相关联想。这是一种由此事物在空间或者时间上与彼事物相接近的联想。一般情况下，在空间上接近的事物，在时间上也是接近的。在接近联想中，通常会出现空间因素和时间因素同时发生作用。例如，美国奥尔康公司由玩具娃娃想到玩玩具娃娃的小孩有姓名和出生地，于是给玩具娃娃

也附上出生证、姓名，还盖上“接生人员”的印章，给玩具娃娃注入了“人情味”，从而增加了产品的生命力。

牛顿从苹果落地想到地心吸引力，再想到万有引力，这是相关联想；起点和终点，代表永恒总是由起点回到终点，无论何时都有始有终，这也是相关联想；太阳的光和热代表热情，联想到它给人们带来温暖和希望，这是相似联想；方形是有规矩的代名词，“没有规矩，不成方圆”显然是相反联想。

4. 逆向思维

逆向思维是指从常规思维相反的角度、过程出发去思考问题。逆向思维的特点是对人们习惯的思维方式持怀疑态度，善于唱反调。逆向思维往往能够出奇制胜，收到意想不到的效果。中学习题中，解决几何难题的通常方法是反证法，这是逆向思维最典型的例子。大家熟悉的水龙头，出水口都是向下的。有人反其道而行之，采用逆向思维，发明了水龙头出水口向上的安装方法，在一定的场合中使用，可以达到节水和更加卫生的效果。

逆向思维还是发现错误、坚持真理的有效方法。当人们对某件新鲜事物有意向性的考虑，但苦于没有实践经验，难于决策时，就可以采用逆向思维的方法，从反面提出问题来增强判断力。逆向思维可以启发人们按照事物发展固有的曲折性，把正反两个方面的认识结合起来，克服认识和实践中的直线性思维模式。

5. 发散思维

我们正处于一个普遍联系和永恒发展的世界中，事物之间和事物内部各要素之间存在相互影响、相互作用、相互制约的普遍联系。这就要求我们要从多方面、多角度、多层次去思考和认识事物。

发散思维正是一种多方面、多层次、多角度的思维过程。思维越发射就越容易产生联想，越容易在别人意想不到的地方有所发现，产生创新思维成果。

人们有一句口头禅叫作：“没有做不到的，只有想不到的。”

发散思维具有流畅性的特点。流畅性就是观念的自由发挥，指在尽可能短的时间内生成并表达出尽可能多的思维观念以及较快地适应、消化新的思想观念。流畅性反映的是发散思维的速度和数量特征。

发散思维具有变通性的特点。变通性就是克服人们头脑中某种自己设置的僵化的思维框架，按照某一新的方向来思索问题的过程。变通性需要借助横向类比、跨域转化、触类旁通，使发散思维沿着不同的方面和方向扩散，表现出极其丰富的多样性和多面性。

发散思维具有独特性。独特性指人们在发散思维中做出不同寻常的异于他人的新奇反应的能力。独特性是发散思维的最高目标。

发散思维具有多感官性的特点。发散思维不仅运用视觉思维和听觉思维，而且也充分利用其他感官接收信息并进行加工。发散思维还与情感有密切关系。如果思维者能够想办法激发兴趣，产生激情，把信息情绪化，赋予信息以感情色彩，则会提高发散思维的速度与效果。

1987 年，我国在广西壮族自治区南宁市召开了我国创造学会第一次学术研讨会。这次会议集中了全国许多在科学、技术、艺术等方面的杰出人才，也聘请了国外某些著名的专家、学者，其中有日本的村上幸雄先生。在会议中，村上幸雄先生为与会者讲学。其间，村上幸雄先生拿出一把曲别针，请大家动动脑筋，打破框框，想想曲别针都有什么用途，比一比看谁的发散思维好。会议上一片哗然，七嘴八舌，议论纷纷。有的说可以别胸卡、挂日历、别文件，有的说可以挂窗帘、钉书本……总共说出了 20 余种。然后，大家问村上幸雄："你能说出多少种？"村上幸雄轻轻地伸出 3 个指头。

有人问："是 30 种吗？"他摇摇头，"是 300 种吗？"他仍然摇头，说："是 3 000 种。"大家都异常惊讶，心里想："这日本人果真聪明。"然而就在此时，坐在台下的一位先生——中国著名的魔球理论的创始人许国泰先生心里一动，他想：我们中华民族在历史上就是以高智力著称世界的民族，我们的发散思维绝不会比日本人差。于是他给村上幸雄写了个条子说：“幸雄先生，对于曲别针的用途我可以说出 3 000 种、3 万种。”幸雄十分震惊，大家也都不十分相信。

许先生说：“幸雄所说曲别针的用途我可以简单地用四个字加以概括，即钩、挂、别、联。我认为远远不止这些。”接着他把曲别针分解为铁质、重量、长度、截面、弹性、韧性、硬度、银白色等十个要素，用一条直线连起来形成信息的栏轴，然后把要动用的曲别针的各种要素用直线连成信息标的竖轴。再把两条轴相交垂直延伸，形成一个信息反应场，将两条轴上的信息依次“相乘”，达到信息交合……于是曲别针的用途就无穷无尽了。例如加硫酸可制氢气，可加工成弹簧、做成外文字母、做成数学符号进行四则运算等等。这表现使在场的许多外国人十分惊讶！故事告诉我们，发散思维对于一个人的智力、创造力多么重要。

[**智慧箴言**]

灵感，是由于顽强劳动而获得的奖赏。

——列宾

当一个人在深思的时候，他并不是在闲着。有看得见的劳动，也有看不见的劳动。

——雨果

二、有冒险精神的人才有可能成功

冒险是不顾危险地进行某种活动的意思。万事万物终归有第一次。第一次敢吃螃蟹的人，成了冒险家的代名词而永远留在了人们的脑海中。

冒险绝不是不讲条件地乱冲乱撞，而是在从事某种有风险的事情之前，在自身认知范围内，尽可能做好充分的准备。冒险主要体现在实施风险决策时，由于缺乏可以借鉴的经验，难免会出现不确定因素，使决策不能完全实施，甚至导致失败。

敢于冒险，也要善于冒险。每一次风险都包含着等量的成功因子。风险往往是和收获成正比的，风险越大，回报越大。

洛克菲勒进入社会后的第一份工作，就是在一家名为休威·泰德的公司做书记员。这为他精于计算开了好头。

在这个公司干了3年，他已经对中间商的生意掌握了十之八九，并且对这个熟悉的行当也跃跃欲试。他未经老板同意，便自作主张地做起了面粉和火腿生意。没过多久，饥荒在英国爆发了，这让他的计划得以实施。休威公司把囤积在仓库里的食品发往欧洲饥荒区，赚到了巨额的利润。本来洛克菲勒为公司立下了汗马功劳，应该受到嘉奖，可是，吝啬的老板却连他提出的加薪800美元的合理要求都不肯答应，于是洛克菲勒只好与公司分道扬镳，独立创业。当时，他才19岁。

1859年3月，洛克菲勒与人合伙创办了经营谷物的经纪公司，赚到了第一桶金。

南北战争的爆发，再次成为洛克菲勒发财的契机。在他的办公室里挂满了战况图和各种从华盛顿传来的政治新闻以及前线的最新动态。他通过对战争形势的透彻分析，将别人不敢做的投机生意做得非常红火。

投机也就是风险管理。很多时候，人们就是靠准确地把握风险而获得成功的。

此外，敢于怀疑，才会有创新。

真正的智者，都是善于思考的。他们能用冷峻而理性的目光来观察这个复杂纷繁的世界。他们不会崇拜任何偶像，也不会盲目地随着潮流而动。他们能用怀疑的眼光看待这个世界，提出问题、解决问题，从而获得真理。

古希腊科学家托勒密认为，地球处于宇宙的中心。日月星辰都围绕着地球运行。这种“地心说”一直延续了1 000多年，并成为维护教会黑暗统治的重要理论支柱。

年轻的哥白尼常常仰望天空沉思：要是地球果真不动，遥远的恒星要跑多快才能每天绕地球转一圈呀！这简直不可想象。于是他对“地心说”产生了怀疑。从此，哥白尼经过40多年的潜心研究，耗尽毕生的心血，终于完成了伟大的著作《天体运行论》。他冒着遭受迫害的风险，将著作付诸出版。当他的学生将刚装订好的一本《天体运行论》送到他的病床前时，这位70岁的老人，噙着眼泪，抚摸着新书，慢慢地合上双眼，安详地离开了人世。

古希腊中世纪的科学家对科学问题只是停留在定性的描述上。亚里士多德采用直观的猜测，认为“落体的速度与落体的重量成正比”。长期以来，人们对这条定律深信不疑，但是意大利比萨大学的青年教授伽利略却对此提出了怀疑。因为他通过钟摆的实验发现，在可以忽略空气阻力的条件下，落体的速度与重量无关。

为了证实不同于亚里士多德的观点，伽利略和他的学生在室内做了各种实验。1590年的一天，26岁的伽利略让他的学生登上比萨斜塔的第二层、第三层、第五层和塔顶，去做一个公开的实验。在伽利略的指挥下，学生依次让不同重量的物体同时往下掉。出乎意料的是，不同重量的物体从同样高度落下来，都是同时到达地面。

如果没有伽利略敢于挑战权威，对亚里士多德的“定律”产生疑问，就不会有著名的“比萨斜塔实验”了。

伽利略主张自然科学要坚决同臆测的法规、方法和神秘的观点决裂。他将观察、实验与数学相结合的研究方法，对创立实验科学和以后的科学的发展具有极其深远的影响。

［智慧箴言］

科学冒险的真精神与信心……是迈向成功的有利因素，经验仅仅得自科学家于广大领域内自由的活动。

——布鲁诺

三、知识创造财富

弗兰西斯·培根说："读史使人明智，读诗使人聪慧，演算使人思维精密，哲理使人深刻，伦理学使人有修养，逻辑使人善辩。"他还说："知识就是力量。"越是博学，越觉得自己无知的人，才是聪明的高人。

任何时候都需要不断地学习新的知识，因为科学技术日新月异，市场经济瞬息万变，稍不留神就会错失良机。

人的富有并不完全看口袋里的钱多钱少，钱再多，也可能有丧失的时候，可是脑袋里的知识却是一笔稳定的财富。不断丰富自己的知识并运用它，才可以创造更多的财富。

果壳网的创始人、CEO姬十三，原名嵇晓华，现年36岁。

姬十三出生在浙江舟山。童年的他，以为海岛就是全世界。考入中国科技大学生物系后，才知道世界有多大。

姬十三曾经在一家制药企业实习，觉得非常乏味，他似乎已清晰地看见自己以后的工作就是在实验室里不停地搞科研。然而，他一直觉得，如果一条路能很清晰地看到未来，是挺可怕的一件事。于是，他最终选择了“逃离”实验室，成了一个自由人。他从 2004 年开始科学写作，先后在 10 多家媒体开设科学专栏。

31 岁的时候，他从上海来到了北京，因为写作慢慢地认识了不少同道的人，后来又渐渐地从一个作者变成了组织者。

2009 年，他全力投入“科学松鼠会”，不写稿子不拿工资，没有收入。当时，他并没有刻意想过能做成什么事情，也不知道未来是什么样子。可是广泛的人脉，为他的创业提供了良机。

2010 年，风险投资公司给姬十三发了一封豆瓣邮件。支持他创办果壳网，打造优秀的科技知识社区。

果壳的网页新鲜、时尚，充满创新意味，令人耳目一新，甚至各个主题站的名字都新颖别致。果壳打开了科学传播的另一扇门。姬十三说，科学是可以被请出来和其他很多学科混搭的，比如和商业、音乐、表演、科幻、电视，其实，科学很有意思。三年来，果壳做的实际上是以互联网为核心的一个科学文化品牌。“科学太重要了，它必须成为流行文化的一部分。”

创业，从来都不是一件简单的事情。不学习新鲜的知识就跟不上时代的脉搏，不尝试、不失败，就没有成功。

[智慧箴言]

只有知识——才能构成巨大的财富源泉，既使土地获得丰收，又使文化繁荣昌盛。

——左拉

四、增强人格魅力，提高情商水平

情商（EQ）又称情绪能力，是近年来心理学家们提出的与智力和智商相对应的概念。它主要是指人在情绪、情感、意志、耐受挫折等方面的品质。总体来讲，人与人之间的情商并无明显的先天差别，更多与后天的培养息息相关。“智商诚可贵，情商价更高”，细想是很有道理的。

过去，人们都认为智商对于一个人的成功有着决定性的作用。其实不然，人的创造力的充分发挥，不仅取决于智商的高低，还要取决于情商的高低，因为没有健全的人格、高尚的情操、顽强的意志和宽容豁达的性格，是不会有百折不回的勇气和团结共事的胸怀的。

在现实生活中，有的人虽然很聪明，但是性格孤僻、怪异，不合群，很难与人相处，合作困难；有的人自卑脆弱不能面对挫折；有的人急躁，固执，自负，情绪不稳定；有的人冷漠，易怒，神经质，与周围的人很难沟通；特别是有的人以自我为中心，不关爱他人，总喜欢周围的人围着自己转。有的大专家，智商特别高，做课题也可能是一把好手，也有一定的名气，但是他们与人合作总不尽如人意，对人苛刻挑剔，不能原谅别人的不足，别人也只好敬而远之，到后来就成为“孤家寡人”，形不成大气候的科研团队。也有不少人，智力虽然不太出众，但通过广泛的社会活动，培养了人脉，最终取得了成功，这便是情商的作用 。

联想集团的领军人物柳传志就是一个智商和情商都很高的人。

柳传志 1966 年毕业于西安军事电讯工程学院（现西安电子科技大学前身），高级工程师，现任联想控股有限公司董事长、联想集团有限公司董事局主席、中华全国工商业联合会副主席，是全国劳动模范、全国有突出贡献中青年专家、中国改革风云人物、全球 25 位最有影响力的商界领袖。

柳传志是一个情商相当高的人。他的成功表明情商促进了智商的充分发挥。

1984 年，国家还实行的是计划经济，市场经济体制和科技体制改革还在萌芽之中。柳传志带领中科院计算所的 10 名年届中年的科技人员，怀揣 20 万元，踌躇满志的在计算所 20 平方米的传达室里开办起了“中科院计算所新技术发展公司”（联想集团的前身），一心要使科研成果变成产品。如今的联想集团已从 2008 年起跻身全球 500 强企业。

在谈到奉献精神时，柳传志说：“90 年代以前，中国的创业和外国的创业有很大不同，早期在中国创业，没有奉献精神，创业实际很难实现。如果我比别人多一点什么的话，就多了点这种精神。”“像我，如果完全没有计算所的背景，没有计算所赋予的各种营养，联想的发展会有很多困难。联想是国有的，这一条其实起到了很大作用。我说我们贷款靠信誉，但如果我们不是国有的，光靠信誉行吗？1988年，我们能到香港发展，金海王工程为什么去不了？就因为它是私营的，而我们有科学院出来说‘这是我们的公司’。年青同志不能忘了这个，心里要弄清楚，你做出的成绩主要部分应该归国家。心里想不透这一点，做着做着，就会出现问题。”

企业做大了，在金钱面前，能够抵御住诱惑，是对人品的一大考验。柳传志认为：“出问题的做法有三种：一种是把不该得的，随手归到自己包里，归大了就犯了法，这种情况相当不少。第二种是在合法的外衣下想办法谋私利，比如说，联想是公家的，我再让亲戚朋友开一家公司，把好的业务向它那儿介绍，肥水只流自家田。这样做国家一点办法都没有，但联想就办不起来了。第三种是找亲信。老的国有企业领导人为了退休之后的切身利益，退休之前急于把自己的心腹安插在比较合适的岗位，这样接班人就能保证他退休有好的待遇。厂长这样，常务副厂长这样，书记也这样，就会发生大的矛盾，宗派就出现了。宗派是癌症，绝对不好治，我也没辙，只能坚决杜绝这种做法。”

柳传志要求他的追随者，首先要“人行得正”。按他自己的说法，就是“在公司里面，我对他们要求挺严格，大家还都信我，甚至离开公司的人，想自己发展的人，也不会出去说联想不好。这其中，我觉得有一点很重要，就是决不搞宗派，决不给自己谋私利。不仅是不谋私利，对人处世还要公正”。

二是以身作则、身先士卒很重要。“创业的时候，我没高报酬，我吸引谁？就凭着我多干，能力强，拿得少，来吸引住更多的志同道合的老同志。”“要部下信你，还要有具体办法，通过实践证明你的办法是对的。我跟下级交往，事情怎么决定有三个原则：同事提出的想法，我自己想不清楚，在这种情况下，肯定按照人家的想法做。当我和同事都有看法，分不清谁对谁错，发生争执的时候，我采取的办法是，按你说的做，但是，我要把我的忠告告诉你，最后要找后账，成与否要有个总结。你做对了，表扬你，承认你对，我再反思我当初为什么要那么做。你做错了，你得给我说明白，当初为什么不按我说的做，我的话，你为什么不认真考虑。第三种情况是，当我把事想清楚了，我就坚决地按照我想的做。”“不独断专行，尊重人家意见，但是要查后账。这样做会大大增加自己的势能。”

“其次，是取信于领导，取信于用户和合作者，取信于员工。说到的事情一定要做到，要不然，你就别说。联想定的指标全都不冒，联想定的指标肯定是超额完成，谁也不敢说大话。另外，公司立的规矩一定要不管不顾地坚持。比如公司开会迟到罚站的规矩，传了十几年了，传下来不容易，因为不断地来新人，谁信这个。”

柳传志选年轻人第一要看有没有上进心。

“年轻人能不能被培养，上进心强不强非常重要。联想要培养的是更在乎舞台和自我表现机会的年轻人，要培养能把自己的事业同国家富强结合在一起的年轻人。其实，这样的人不在少数，大部分人都有这种强烈的感觉。看足球的人那么多，其实就是想看中国赢。我那么爱看足球，惠普公司请我去看世界杯赛，我倒不一定去。全是外国人在踢，我看他们干吗？老百姓看中国队踢输了，那种表情，实际上是一种爱国情。男子汉如果没有这种劲头，他就没什么意思了。企业真正要做好，总得有一批这样的人，真的是为国家、为民族富强，把职业变成事业的人。纯粹求职的人，在联想没有大的发展。”

“第二，这个年轻人的悟性要强。什么能妨碍悟性的发展？是自己对自己评价过高。悟性无非是善于总结的意思，但过高地看自己，容易忽视别人的经验，不能领悟别人的精彩之处，这种人挺多。有很多人有一定的能力，聪明而已，达不到智慧的程度。有的人个性很强，强到外力砸不破的地步，这个人也没有培养前途。另外，人如果不能有自知之明，同事做了八分，他也做了八分，他把他做的事看成十分，把同事做的事看成六分，他要这么看，关系就没法相处，也没法进步。”

柳传志没有把联想的成功看成是个人的事情，最让他关注的是企业的未来。他把培养年轻人的工作看得十分重要，这是很有战略眼光的。

[智慧箴言]

要使人成为真正有教养的人，必须具备三个品质：渊博的知识，思维的习惯和高尚的情操。知识不多，就是愚昧；不习惯于思维，就是粗鲁和愚笨；没有高尚的情操，就是卑俗。

——车尔尼雪夫斯基

（方守默）

第五章 青年科技创新与实践的关系

创新的历史，几乎与人类文明的历史一样悠久。五千多年来，一个又一个智慧的火花在人类的思辨或实践中诞生。但是，在技术创新和理论创新的过程中应用实践的方法，却是从距今仅仅四百多年的伽利略开始的。

一、实践，最“科学”的科学方法

伽利略之所以被尊称为“近代物理学之父”甚至是“近代科学之父”，正是因为他首先将观察与实验的方法有意识地运用到了科学创造当中。而在他之前，虽然像亚里士多德等希腊哲学家们得到了许多有关世界的知识，但都是单纯思辨的结果。事实上，由于希腊先哲们不注重实践的思辨方法，让科学的发展走了不少的弯路，有许多有价值的学说并未受到应有的重视，比如德谟克利特的原子说，阿那克西米尼对天体的解释等等，因为这些学说在当时的人们眼里，和别的各种各样五花八门的理论没有任何区别——这些理论都能够用来解释现象，并且听上去也都还像那么回事，都挺有道理，但问题在于，没人能知道，真有道理的，究竟是哪一种方法。

在科学的发展中，人们在黑暗中渐渐摸索出了科学的方法体系，其中最重要的一点，就是学会了将演绎推理与实验归纳的结合。这正是伽利略的工作。正是因为伽利略，科学研究才得以步上正轨，突飞猛进，而愈来愈多的科技创新也纷纷涌现，人们不再像以前一样，在黑暗中盲目摸索、艰难前行。

伽利略认为，我们不能只靠思考来寻找真相。而更有力的武器是 “实践”，是从事实中寻找真相。伽利略又将实践分为“观察”与“实验”两个步骤。

所谓观察，不仅仅是通过眼睛看、耳朵听这样的感官方式来进行的，还包括对时间、距离等因素的测量。其意义更接近于今天的“观测”。伽利略还很年轻的时候，就揭示了单摆的规律——伽利略在教堂中参与祈祷时，对吊灯的摆动进行了一番观察。他发现，不管吊灯摆动的幅度是大是小，摆动一次所花费的时间似乎总是一样的。他用他当时能找到的最好的计时器——自己的脉搏进行了粗略的计时，结果印证了他的观点。后来，他又对各式各样的摆进行了观察，得到了结论：同一物体摆动的周期只和摆弦的长有关，和摆动幅度无关。而在这以前，人们普遍相信，物体摆动幅度越大，所需时间越长。由于对观察的执着，伽利略还改进、推广了

望远镜，并且是第一个将望远镜对准天空的人。他用望远镜看到了月亮的粗糙表面，金星的盈亏过程，木星的多个卫星和土星的光环——当然，在那时他并不知道他所见到的东西就是土星环，他将其命名为土星的三联体结构——而在他之前，人们普遍认为月亮的表面是光滑的，除了地球之外的星球都没有卫星……即便在伽利略看到了真相之后，一些顽固的宗教分子还坚持认为，伽利略看到的和他们的教义不符，那么一定是因为伽利略的眼睛或者望远镜出了问题。

而更重要的是实验——人为的构造出满足条件的实验场景或对象，并对其进行一组操作，从而得到某种结果。有的时候，这种结果是满足预期的，而有的时候这种结果与我们的设想完全不同。无论如何，我们要做的都是根据结果去检查实验，修正理论，而不是按照自己的理论去质疑实验结果。更加重要的一点是，只要是人为的实验，都应该能够被任何人重复、检验，并得到相同的结果，否则，这样的实验就是没有意义的，其结果也是无法使人信服的。现今社会上，常常有“大师”“民间科学家”号称自己创造了某某神迹，或者推翻了某某理论，可别人按照他们的指示，试图重复他们的结果时，却从来没有成功过。显然，这些无法被重复的工作，是丝毫不“科学”的。而当我们试图证明、希望别人接受某种观点的时候，若是缺少了实践结果的支持，那这个观点也是不会具有太多说服力的。

[智慧箴言]

我与我的方法已经开启巨大而优秀的科学之门，相比而言，我的工作只是一个开端，科学最遥远的角落将由比我更优秀的后人们去探索、发现。

——伽利略

二、要想检验想法，就将它付诸实践

在 19 世纪中期，妇产科的医生们面临着一个非常棘手的问题：在妇产区分娩的妇女常常被一种叫作“产褥热”的恶性疾病所侵染，产妇在分娩后先发生炎症，出现局部红肿和热痛，严重者可能会寒战、高热、体温高达 40 ℃，并且炎症感染部位向腹腔蔓延……如不及时治疗，或治疗不当，则极有可能危及生命。当时的医学水平还不高，无法对这种疾病做出非常有效的治疗和处理，大部分妇产区都面临着这一问题。可是，在奥地利维也纳总医院，却出现了一个令医生大惑不解的情况，那就是，在该医院的两个妇产区中，这一疾病所表现出来的“破坏力”却截然不同：在第一妇产区，每年平均有接近 10% 的产妇死于这种疾病，也就是说，每十个产妇中就有一位母亲，还来不及回到自己的家，好好看看自己的宝宝，和自己的爱人团聚，就受着折磨、带着遗憾，撒手人寰。死亡率如此，遑论受到感染的人数了。可是就在毗邻该妇产区的第二妇产区，产褥热的死亡率却只有2% ～ 3%，远远低于第一妇产区的比例。

虽然医生们无法解释这一现象，但并不妨碍他们做出种种富有想象力的猜想：有人认为是由于第二妇产区所采用的分娩姿势不一样，甚至有人相信是因为两个产区的宗教习俗不一样……人们不惮于做出种种看似合理的猜测，并且每个人，尤其是每个医学工作者都认为自己的观点是正确的，并试图纠正“错误”。然而令人遗憾的是，这样的状况持续多年，从未好转。

终结这一切的，是一名叫塞麦尔维斯的匈牙利医生。

塞麦尔维斯于1844年进入维也纳总医院妇产区工作后，也深深地被这个问题所困扰着。与其他人不同的是，他并不仅仅满足于猜测，而是对每个可能的猜想，都以一定形式付诸实践，一一进行了验证和判断。当时，关于微生物感染的科学理论还未被提出和发现，塞麦尔维斯并不能依据理论来进行解释和判断，于是他对流行的各种说法一一进行了考察：

比如有一部分怀疑，指向的是两个妇产区中存在的差异。有人观察到第一妇产区采用的是仰卧分娩法，而第二妇产区使用的是侧卧分娩法。虽然塞麦尔维斯觉得这种说法并不太可能，他仍然进行了验证：他建议第一妇产区也采用侧卧分娩法。过了几个月，死亡率依旧不受影响。对于其他类似的说法，比如宗教习惯不同，或者是在分类时出的差错——塞

麦尔维斯都要求第一妇产区采用和第二妇产区相同的做法，并且亲自将所有产妇随机分类——情况依然不见好转。

还有一些来自官方的指责：一个奉命来调查此事的委员会将第一妇产区的高死亡率，归咎为第一妇产区里有很多实习的医科学生，而第二妇产区的助产士中则没有学生。委员会认为是学生的检查手段过于生疏和粗暴导致了产妇的高死亡率。塞麦尔维斯虽然并不认为实习生的手法有多么拙劣，但他还是对此做出了回应：在接下来的几个月里，第一妇产区极少接受医科学生的实习，并且尽量不让实习生去接触分娩手术或进行分娩检查。结果却是，第一妇产区的产褥热死亡率在极短的时间内有所降低之后，反而迅速上升到了比以前更高的水平。

正当塞麦尔维斯一筹莫展之际，一个意外给了塞麦尔维斯启发。他的一个男同事在进行解剖的时候，不慎被解剖刀刺伤了手指，不久之后就因病去世。而这位同事的发病征兆和产褥热非常相似。尽管塞麦尔维斯感到，“男人患上妇科疾病”的说法有些荒谬，但他还是像抓住了一根救命稻草似的，对此进行了验证。他假设，产褥热是由于某种“尸毒”所引发的，而医生们与实习生们常常在尸体解剖之后，直接进入产房助产，中间并没有任何消毒措施。于是他要求，第一妇产区的所有人员，在接触产妇之前必须用漂白粉溶液洗手。至此之后，第一妇产区的产褥热死亡率骤然下降，连续一年都低于 2%，甚至低于了第二妇产区。他再将他的观点用于第二妇产区时，他发现，原来第二妇产区的助产士们由于不是实习生，不需要进行尸体解剖的训练，所以他们在接触产妇时，身上就没有所谓的“尸毒”，这进一步证实了他的观点。

后来，塞麦尔维斯由于被维也纳医学界所排挤，便回到祖国的布达佩斯的罗切斯产科医院工作，在那里推行他的方法。他在那里工作的六年里，罗切斯产科的产褥热死亡率一直低于 1%；而与此同时，维也纳的产妇死亡率则直线升至了 10% ~ 15%。尽管塞麦尔维斯坚定地推广他的观点和方法，并且被越来越多的病人看作是救命恩人，但他的理论一直没有获得医学界的认可。直到几十年后，细菌和微生物的理论得以推广和普遍接受之后，他的理论才为人们所接受。

在这个故事里，塞麦尔维斯面对一个猜想，他并不是急于去相信它或否定它，而是将其付诸实践，再视情况去判断这个猜想是否正确。塞麦尔维斯知道，想知道一个想法正确与否，将其付诸实践是最好的选择。他从未主观地去“相信”一个观点，而是让一个观点经过检验后，在客观上“正确”，并且不惧怕让这个观点时时刻刻做好接受检验的准备。正是因为他的这种科学的实践观，才使成百上千的产妇在病魔的威胁下存活了下来，这也给后人树立了将猜想付诸实践的榜样。

[智慧箴言]

知识是珍宝，但实践是得到它的钥匙。

——托马斯·富勒

三、别光顾着思考，空想十年不如实践一次

实践是如此的重要，可在学习、工作与生活中，我常常听人这样来解释他们为什么不积极地去实践他们的创新思想："我知道实践，但是我更喜欢把所有事情都仔细思考之后再动手去做"，或者"我相信我的经验与智慧，我不需要花太多时间去实践，思想才是最重要的，实践只是实现思考的手段"……诸如此类的理由，听起来确实很有道理。诚然，我们决不能低估思考的力量，但是如果因此以为，可以用思辨来代替实践的话，那一定是大错特错了！让我们来看看中世纪的一些哲学家是怎么研究问题的。

中世纪的欧洲，有一部分学者被人们称为"经院哲学家"。他们皓首穷经，学识渊博，尽他们一切所能阅读、记忆、研究古代文献——由于亚里士多德等希腊哲学家的巨大影响与成就，这些学者们认为，他们所有的疑问与这个世界的大部分秘密，都能在古希腊的文献中找到答案。于是，他们仔细钻研古代文献，并认真思考，希望能借此了解世界的真理。

听起来这些人确实是饱学的学者，不是么？可他们的一位同行讲述了这样的故事：有一天，他的同事们突然开始争论马有多少颗牙齿。由于无法统一意见，他们便在接下来的几天逐一查阅古代文献，试图用他们的“智慧”，从先贤的只言片语中获得线索，从而推理出马有多少颗牙齿……然而事实上，在他们活动的院子边上，就有大量马匹，可他们没有一个人走过去，掰开马的嘴巴去自己数一数。

他们认为，他们的所有工作就是寻找、阅读、理解古人的著作，从中得到关于这个世界的知识，并帮助这些从古希腊流传下来的文献继续流芳百世下去。

其实这样的事情，他们的“祖师爷”亚里士多德也做了不少。比如同样是关于牙齿，亚里士多德在他的著作中坚称，男人的牙齿比女人多。其实他只需要请他的夫人张开嘴，自己数一数就能轻易纠正这个错误，但他显然从来没有这么做过。

哲学家，尤其是古代的哲学家们，往往都是智力超群并且经过思辨训练的杰出人物，可当他们放弃从实践中获取知识，而专心进行理论学习和思辨的时候，他们得到或创造了些什么？答案是，完全没有。经院哲学时代从公元 6 世纪开始，在公元 10—15 世纪之间结束。在这长达数百年的时间内，这些热衷于纸上谈兵的欧洲哲学家，几乎完全没有什么自然科学方面的原创性思想。

古人如此，今人亦然。那些智力卓越训练有素的哲学家们专注思辨数十年尚且毫无建树，还不如一次实践活动的获益，遑论我们呢？因此，在我们有了一些创新思想，或对这些思想产生了疑问之时，别光顾着想！一定要大胆地着手实践！不要害怕浪费时间、资源，也不要害怕失败，因为如果我们着手实践自己的创造性思想，我们确实可能失败，但如果我们不去实践自己的想法，那我们永远不可能成功。

[智慧箴言]

纯粹的逻辑思维不能使我们得到经验世界的任何知识；所有的知识都是从实践的经验开始，而又归结于经验。

——爱因斯坦

四、尊重实践结果，即使与你的观点截然不同

第谷，是16世纪中后期的一位天文学家，或者更准确地说，是一位天文观测者，一位肉眼观测时代（即望远镜发明以前）最伟大的天文观测者。他的伟大，不仅在于他仔细、长期、精确地记录了大量的天文数据，而且还在于尽管他坚信地心说是正确的，厌恶哥白尼的日心说，但无论他观测到的数据是否与他自己的天文理论吻合，他都如实地将其记录在案，并且允许与他观点相左的学者使用他的数据。正是在第谷的巨量资料的支持下，他的后辈开普勒才能从中总结出著名的行星运动规律——“开普勒三大定律”，成为天文学

史上的一个里程碑。

第谷出生于哥白尼死后三年。作为贵族的成员，第谷可以衣食无忧地进行他的观测。在丹麦国王委托他建造的天文台里，他用他亲手设计的仪器，日复一日，年复一年地进行着天文观测。在当时，无论是观测的精度，还是数据的数量，第谷的工作都是首屈一指的。然而在天文理论方面，第谷却一直不能接受哥白尼的日心说。原因很简单，他认为，如果地球在动，我们一定能感受到。为此，他提出了许多自己认为正确的理论。然而，第谷并不是一个出色的数学家与理论家，他虽然有着浩如烟海的天文数据，却很难将这些数据有效率、有条理地进行处理与推演，更不用说与自己的理论相互印证，从而完善理论了。第谷发现了他的理论与数据之间有不小的矛盾，然而他却不知道这究竟意味着什么。可以说，第谷坐在自己创造的宝山之上，可他并不知道如何使用它们。

直到几十年之后，他遇见了青年俊杰开普勒。与第谷不同，开普勒非常支持哥白尼的日心说。尽管如此，第谷还是很欣赏这位精通数学的年轻人。按照第谷的遗愿，开普勒继承了第谷的职务、天文台与数据库。不过，开普勒一开始的设想也有问题，他虔诚地相信着天球的完美，固执地认为，行星的轨道一定是一个完美的圆形。他在很长的时间内都没有放弃这个想法。然而，当他发现，他的设想与事实数据无论如何都不能很好契合在一起时，他终于意识到，可能是自己的信念出了问题。抛弃一个自己坚定相信的事情很难，但是在事实面前，开普勒做到了。他又经过许多年的计算，终于提出了另一种模型，那就是椭圆模型，亦据此总结出了著名的“开普勒三大定律”。

开普勒三大定律的诞生，与第谷数十年如一日的精确观测是分不开的。第谷坚定地相信地球位于宇宙中心，并搜集了大量的数据，试图证明这一点。尽管他失败了，但是即使觉察到数据与他的理论有出入，他依旧忠实地记录并保留了所有数据，并让开普勒完整地继承了他的财富。

这正是科学创造中最重要的一点：我们的想法、观点，错得再离谱也没有关系，只要你愿意通过实践去检验它，并允许别人也来检验它。最好，当自己的想法与事实很难符合的时候，我们能够回过头来想一想，是不是我们自己的想法出了问题。事实上，很少有人的想法从一开始就是准确无误的。关键是我们要勤于实践，勇于实践，并且忠于实践。以实践的结果来检验自己的想法，而不是戴着有色眼镜去处理实践成果。这样，我们的想法一定会越来越可行，越来越成熟。

[智慧箴言]

我可以允许自己错上一千次，也不会原谅自己忽视了一次事实。

——爱因斯坦

五、切忌先入为主，正确的结果也可能用来确证错误的思想

人们或多或少总是倾向于相信自己愿意相信的观点。在日常生活中，这当然无伤大雅，并不是什么非改不可的大毛病。可在科技创新的实践过程中，我们的这样一种倾向，却往往会将我们引入歧途，并且越走越远。因为一般来说，我们实践得到的结果，并不会有一个明确的指向性，并不会明显到让人一看到结果，就能马上得到结论。

在达尔文出版《物种起源》的几十年前，有一位生物学家已经无限接近了进化论的大门，这位生物学家名叫居维叶。居维叶是 18 世纪末到 19 世纪初的瑞士生物学家，以治学严谨，极具洞察力著称。居维叶不仅理论能力出众，实践能力也同样令人叹服。他将解剖原理用于化石，创立了一套化石分类体系，仔细研究了化石被发现的位置与其生物结构的规律，并认为可以通过化石来确定地球的历史。居维叶还在此基础上发明了一套根据动物的少数化石部分来推测该动物的整体形貌的方法。他甚至还证明了某种化石生物的近亲在今天依然生存在地球上……这位生物学家甚至提出了这样的问题："为什么化石的分布总是有顺序的？为什么特定的动植

物只出现在特定的岩层？为什么埋得越深的化石与现在物种的差异越大，而埋得越浅的化石与现在的生物越相似呢？”这三个问题加在一起，正好是达尔文进化论的一个重要论据，由今天的我们看来，这三个问题离进化论已经很接近了。不仅如此，居维叶还重新梳理了生物分类系统。他的分类系统暗示着各个物种不是平行的，而很有可能是由原始物种逐渐分化而来……而当时的生物学界，也已经有人提出了早期的生物进化理论了。

你看到这里，一定会觉得，居维叶就算没有想到进化论，也至少离此不远吧？可是，事实就是这样的滑稽——居维叶似乎完全没有考虑过进化理论的可能性，不仅如此，居维叶还是早期进化论的最大的反对者。他还用自己的权威与声望，打压当时的进化理论支持者，甚至写信嘲讽他们。

有的人为居维叶辩解道，这是因为居维叶长期受到了《圣经》的熏陶和教育，使其对进化理论一直敬而远之。有的人认为，是因为居维叶认为地球的寿命不足以完成生物进化……根据居维叶自己反对进化论的说法，他是认为，生物的各部分构造之间是如此精密契合，是不可能逐渐地变成另外一种样子的。

无论是什么原因，总而言之，是居维叶自己束缚了自己。他手上有着几乎一切进化论的基础论据，可是却先入为主地否认进化论的正确性。他是如此深深地相信着物种的固定，

以致他无法冷静地去审视自己手上究竟有些怎样的资料。他不是从他的实践结果中总结规律，而是先深信了一种规律，然后再在自己的手中寻找那些能够支持自己信仰的东西。我们平日心里觉得某人心里有鬼的时候，那不管怎么看，都觉得那人形迹可疑。同样，要是我们先入为主地怀着某种信念，那即便事实很难支持这样的信念，我们也往往会忽视对我们不利的信息，只看到我们想看到的。这种事发生在科学研究上，可能让你与某种发现失之交臂；发生在科技创新上，可能让你的研究走很大的弯路；发生在技术创业上，可能让你的资金打了水漂……考据学上也说“孤例不证”。在我们有了实践结果的时候，千万不要忙着下结论，而是应该先问问自己：这样的结果，究竟能不能证明自己是对的，还是仅仅因为自己希望自己是对的?

[智慧箴言]

科学已经是沿着诡异而曲折的道路前进的了，我只能尽力保证自己的目光不会更加扭曲。

——狄德罗

六、实践可出真知，实践的过程也是学习的过程

实践确实是实现目标的必须过程，但并不是学习完毕思

想成熟之后才能进行的活动，而是学习的一部分。诚然，进行实践需要一些基础知识，但是，并不是要等到知识储备特别完备的时候才能去实践我们的想法。相反，实践本身就是学习的一部分，在实践的过程中，我们往往能学到更多光靠书本学不到的东西,或者对自己原本认定的知识做出补充或纠正。

沃森和克里克共同发现了 DNA 的双螺旋结构，让人们能够直观地看到 DNA 是如此携带并保存遗传信息，并将其传递给下一代的。但是，他们在开始研究 DNA 结构之前，还对这个领域了解得相当不充分。甚至他们的实验都是偷偷摸摸地展开的——当时，DNA 的结构被认为是另一位生物学权威威尔金斯的领域。沃森和克里克所属的卡文迪许实验室并不愿意得罪威尔金斯，他们只能利用业余的时间偷偷进行研究，因此很难获得最前沿的研究资料。克里克的专业甚至不是生物学，而是物理学。可他们正是一边研究，一边学习，尽自己的一切努力去寻找对自己有用的信息，并且在研究的过程中愈发充实自己，终于有了这项伟大的发现。

一开始，只是沃森一个人想要在 DNA 领域做一些研究，但是，当时他能了解的 DNA 资料非常有限。他遇见克里克的时候，克里克正在研究一种使用 X 射线结晶法测定大分子蛋白质结构的新技术。沃森当时就敏锐地发现，他可能可以利用这种技术来研究 DNA 的结构。就在沃森和克里克打算大展拳脚的时候，一个令人沮丧的消息传来：威尔金斯也使用同样的方法，已经得到了 DNA 结构的不少信息。由于不能公开地去索要资料，他们一边加紧自己的实验学习，一边想尽办法去获取相关知识。终于，他们从威尔金斯的同事富兰克琳那里得到了少量分析照片。他们惊讶地发现，DNA 不仅有着类似螺旋结构的特征，并且整个分子在长度上是稳定的。沃森还去参加了富兰克琳的报告会——可能是由于不方便做笔记，沃森试图用他非凡的记忆力来记住富兰克琳的数据。当他带着头脑中的数据回到克里克身边时，他们都觉得，已经离成功不远了。

然而他们错了，错误不仅出现在他们对 DNA 的认识上——他们把 DNA 中碱基的位置想错了；更戏剧性的是，沃森将他在报告会上记忆的数据给弄错了——富兰克琳说，DNA 中，每个核苷酸周围都有 8 个水分子。可是沃森以为，是每个 DNA 分子周围一共只有 8 个水分子。沃森和克里克使用错误的数据进行研究，就在短短的 24 小时之后，他们就自以为得到了结果。

他们以为自己已经取得了成功，得意洋洋地邀请威尔金斯、富兰克琳以及其他一些该领域的研究者来到他们的实验室，请他们对自己的模型发表意见。富兰克琳当即指出，这是一个错误的模型，原因就是对水分子数目的错误估计。沃森和克里克感到非常的窘迫和沮丧。

不过有趣的是，富兰克琳在这之后与沃森和克里克的关系变得非常紧张——或许是因为他们不自量力的研究，或许是因为他们使用了错误的数据，或许是觉得沃森和克里克的研究有些本末倒置——一般的研究者，都是先研究、获得、分析 DNA 的理论信息，再付诸实践，去构筑模型。而沃森和克里克则是先直接投入实践，构建 DNA 的模型，再搜集相关的 DNA 的理论信息，并试图将其与模型匹配。但是威尔金斯却与沃森和克里克的联系日趋紧密。威尔金斯与富兰克琳虽然一同进行研究，但是似乎他们的关系却愈发恶劣。威尔金斯甚至秘密复制了富兰克琳的全部 DNA 照片，原因是强烈地担心富兰克琳有一天会跳槽单飞，卷走一切实验资料。不管威尔金斯的担心是否合理，不过重要的只有一点：威尔金斯偷偷地复制了一份富兰克琳的 DNA 照片，并在一次偶然的机会中，沃森看到了其中的一部分照片。

沃森当时目瞪口呆——他所看到的照片比富兰克琳以前出示过的任何一张照片，都要更清晰地预示着 DNA 的双螺旋结构。又经过一个月的反复尝试与匹配，他们终于得到了新的模型：两条互相缠绕的螺旋，相互平行配对的碱基……这个模型是如此精致，不仅结构美丽，还清晰地表明了 DNA 是如何精确地复制自身的，故而这个模型立即就被几乎所有人认可了。沃森、克里克以及威尔金斯也因此获得了诺贝尔奖（富兰克琳在颁奖的 4 年前去世了，故而没能分享这份荣誉）。

沃森当时只是一个刚进入生物学领域的年轻学者，而克里克更只是一个略有涉猎生物学的物理学家。他们在开始研究 DNA 的时候，既没有完备的学科背景，也没有研究前沿的第一手资料。但是，他们并没有先去学习理论知识，等到学习好之后再着手研究。相反，他们是先立即开始实践、探索，在实践的过程中慢慢充实自己，在实践的同时去想办法获取资料。正如他们的同行所诟病的那样，他们有时候甚至连足够的数据都没有，就已经开始提出一种模型设想了。等到拿到相关资料，他们的模型也建立得差不多了，才开始模型与数据的对比……然而，正是他们这种与众不同的实践方法，使他们在这场揭示 DNA 结构的角逐中获得了胜利。

我们在进行科技创新的时候，如果有条件，不必等到万事俱备再开始着手实践。有的时候，不妨直接开始实际操作，这样不仅能为你争取到宝贵的时间，在实践的同时学习，还往往能达到单纯的理论思考与学习所达不到的效果

[**智慧箴言**]

要想获得一种见解，首先就需要劳动，自己的劳动，自己的首创精神，自己的实践。

——陀思妥耶夫斯基

（冯础）

第六章　科技创新与德识才学

一、德是太阳，照亮生命的天空

“德者，本也。”“国无德不兴，人无德不立。”蔡元培先生也说过：“若无德，则虽体魄智力发达，适足助其为恶。”故道德之于个人，之于社会，都具有基础性意义，做人做事第一位的是崇德修身。这也是我们的用人标准为什么是德才兼备、以德为先。因为德是首要、是方向，一个人只有明大德、守公德、严私德，其才方能用得其所。在科技创新的道路上，也不例外。诚信，宽容，节俭，踏实……这些美好的品德，在如今百废待兴却又物欲横流的社会里，更显得弥足珍贵。尤其是诚信二字，是我们的道德底线。诚信待人，才能取信他人；实事求是，才能忠于真理。失去了他人的信任，在社会上就无法立足。而失去了对学术的忠实，就会偏离科学，越走越远。

将进化论发扬光大，出版了《物种起源》的达尔文，想必大家并不陌生。然而，就在《物种起源》出版的前一年半，书稿大约已经写了25万字，达尔文着手研究进化论20年整的时候，达尔文收到了一封信。寄信人是一名年轻的博物学家华莱士。信中附有一篇论文，希望让达尔文看看有没有发表的价值——论文的主要观点，和达尔文为之奋斗了20年的进化理论几乎一模一样！当然，华莱士搜集的例证远没有达尔文丰富。然而达尔文心里清楚，这个理论一旦发表，其意义一定是划时代的，进化论的提出就算不是后无来者，也一定是前无古人的。20年的心血却即将被一个年轻人抢了先，达尔文内心非常沮丧。如果是你，你会怎么答复华莱士？

达尔文既没有试图拖延，自己偷偷提前发表成果，也没有端起博物学权威的架子，告诉年轻人，这是他的领域，禁止华莱士发表论文。在向自己的一些朋友写信倾诉和商量之后，达尔文决定，将自己的处境告诉华莱士，并且非常谦虚地请求华莱士，希望能与他共同宣布这一理论，取得联合发现权。华莱士同意了。于是，达尔文将华莱士的论文推荐给了《林奈学会学报》，并在给林奈的论文之后，简短地附录了自己工作的摘要。达尔文没有试图争名夺利，没有用资历仗势欺人，他的宽广胸怀与道德情操，赢得了当时及后世之人的敬仰与倾慕。而相比之下，一些心胸狭小的科学家，则往往落下千古笑柄。比如因为妒忌与不甘，当自己的学生法

拉第希望进入皇家学会时，投下唯一一张反对票的科学家戴维；作为一名医生，丝毫不懂物理，却“以自己的全部权威”反对把诺贝尔奖颁给爱因斯坦的广义相对论的眼科医生古尔斯特兰德。他们的这些品德低劣的行为，无疑给他们一生的成就抹了黑，使其成为后人的反面教材。

“德”字还有很重要的一点，那就是社会责任感。第一个能够批量生产链霉素及其他一些抗生素作为药剂的公司莫克斯公司决定不为自己的技术申请专利，而希望这些药物能够尽可能地普遍使用。爱因斯坦由于说服美国总统通过制造原子弹的曼哈顿计划，一直心怀愧疚，在第二次世界大战结束后在和平事业上投入了大量的精力。比尔·盖茨退休后，将自己财产的绝大部分捐给了慈善事业……这些人无疑是高尚的，他们将社会的利益、人类的利益置于自己的利益之上，牺牲自己的财富或者精力，去回报社会，造福人类。而很多时候，当我们要决定将自己的创新以及借由创新所得的资源和财富用于何处时，往往会觉得这是个难以做出抉择的问题。

一个人，若是学识匮乏，就会使得根基浅薄；若是浪掷才华，就会难以发挥能力；若是见识不足，就会容易受到蒙蔽。而若是缺乏足够的道德修养，往往会毁灭自己，危害社会。愿大家做一个德识才学兼备的全面型创新人才，创造一片属于自己的世界，为自己的生活，为家人的幸福，为社会的安定，为国家的发展贡献自己的力量！

［智慧箴言］

在一个人民的国家中还要有一种推动的枢纽，这就是美德。

——孟德斯鸠

二、识是射电望远镜，搜索创新的星空

当我们拥有了丰富的知识积累又具备了足以驾驭知识的才能，是不是就一定能做出巨大的成就了呢？答案是否定的。满腹学识，才高八斗，可这一身才与学，谁来决定它用于何处呢？袁枚曾说："学如弓弩，才如箭镞。识以领之，方能中鹄。"就是说，有了才学做的弓箭还不够，还要有"识"来引领方向，才能射中自己的目标（天鹅）。袁枚所说的识，也就是平常我们说的见识，即对事物、问题的认识能力，包括原本对世界的认识，也就是我们的世界观以及遇见新事物新问题时，对它们的见解和认识。这两者是相辅相成的，世界观会在很大程度决定我们对具体事物的理解和认识，而每个新的理解与认识，都会加深或者改变我们原本对世界的看法。可以说，见识有多高，决定了我们能走多远。要是能把才学用在正确的地方，自然可以成就事业，造福后世，可要是忽视了机会，或是走上了歧路，轻则浪费时间，重则害人害己。

有的人因为见识不够高而错失了送到手上的荣誉。天王星和海王星，是太阳系最外围的两颗行星。相比于早早就被人类观察到的其他五颗行星，它们迟迟等到 19 世纪前后才被人发现。其实，它们都曾早早地被人所观测到，可是发现者并没有意识到他们所发现的是新的行星。在 1781 年天王星被正式发现之前，其实已经有很多人都数次甚至十数次观测到了这颗行星。可是当时的天文学家们有一个偏见，他们固执地认为，太阳系只由地球和其他五颗行星组成，不可能再有其他行星了。他们称土星为“最高的行星”，也就是说，他们认为土星以外不会再有行星了。正是这样的偏见，使得包括伽利略在内的无数观测者未能发现新行星（伽利略还曾观测到海王星）。而海王星的轨迹在 19 世纪初被计算出来后不久，本来几乎由两组观测者同时发现，但是略先寻找到海王星的观测者查理士或许是由于一时失察，又或许是由于漫不经心，居然没有意识到，自己曾两度观测到的星体就是自己正在寻找的海王星,从而失去了独享发现者殊荣的机会。

有的人因为见识的偏差，既浪费了精力，又害了自己。牛顿以卓越的数学才能与精密的观察测量，创建的经典物理体系，统治了科学界两百多年。然而，牛顿在更多的时间里，却把自己的精力用在研究炼金术和神学之上。他花了 20 多年的时间，试图找到上帝存在的证据，还钻研炼金术，经常在自己的实验室里进行炼金实验，与波义耳等人秘密交换炼金配方，最终因为经常在炼金室里接触水银，晚年出现精神失常症状，据说最终死于汞中毒。

跟上述几人相比，有一个名叫约翰·迪伊的学者的遭遇要悲惨得多。对一颗新行星视而不见，至少不会危害到自己的生活。而牛顿至少在炼金之外，还有巨大的声誉和成就。可迪伊却因为他对超自然能力的盲信，陷入了深深的玄想与迷信当中，最终家破人亡，含恨而终。

迪伊是16世纪的英国人，20多岁就在巴黎大学演讲，曾担任过英国皇室数学顾问，是一名才华横溢的学者，精通数学、天文学以及地理学，并且相信科学能够很好地扩展知识——如果仅此而已，迪伊一定能在科学史上留下浓墨重彩的一笔。可遗憾的是，在我们的科学史中，他的名字毫不起眼。而在今天，除了一些魔法故事爱好者之外，也鲜有人听说过他的名字。这一切都因为，迪伊虽然认为科学能够为人类扩展知识，但除了科学，还有一条更为便捷的道路——他相信通过占卜、仪式、法术、炼金、召唤天使甚至恶魔等等魔法，能够帮助他理解人类及宇宙的最终奥秘。他从来没有怀疑过这样的追求是否能够使自己得偿所愿，哪怕无论他多么努力，却一次都没有成功地与天使、恶魔对过话，一次都没有从书上的纹路或者天上的星星中理解到什么，他依然孜孜不倦，深信不疑地继续自己的追求。

在迪伊想尽办法都无法成功地从他的“魔法”中得到任

何东西的时候，迪伊认识了一个叫凯利的人。现在我们知道，这个凯利原名塔尔波特，曾因诈骗受过刑罚——不过不知他用了什么手段，使得迪伊相信他能够与神灵对话。凯利还向迪伊展示了一些红色粉末，声称是“哲人石”的一部分，可以点石成金，使人长生不老——当然，这些粉末的纯度不够，还不足以完成这些任务。凯利还虚构了一套天使的语言“伊诺克语”，轻易吸引了热爱密码学与智力游戏的迪伊。

原本迪伊有着足够的财富来支持他的“研究”——作为英国的皇室数学顾问，他从宫廷中得到了有力的资助。虽然历经宫廷政治动乱，不过最终迪伊总是站在了正确的一边。然而这一次迪伊却决定放弃这些资金来源，向英国皇室请了假，和凯利去周游欧洲各国。与此同时，迪伊与凯利的交往以及所作所为渐渐地传到了欧洲各国，使得迪伊变得愈发神秘起来。凯利利用这一点，和迪伊去走访各国贵族，声称能点石成金，以此来骗取贵族们的资助。渐渐地，迪伊发现，他的大部分时间都花在凯利的“魔法”上了，而没有时间进行自己的研究。而凯利觉得迪伊已经变成了和他一样走街串巷的街头骗子——于是最终，他们决定分道扬镳。可悲的是，迪伊虽然不再相信凯利，却一如既往地相信他的神秘学信念。尽管迪伊回到英国之后，发现他的故居和他的私人图书馆一道，被暴民烧成了平地（由于有“迪伊是巫师”一类的传闻），尽管他并不再像以前那样受到英国女王的宠幸，尽管他已经开始病魔缠身，但他依旧继续试图从神灵那里得到宇宙的奥秘，直到他生命的终结，死时一无所有。

一位智力超群的学者，落得如此结局，实在是令人扼腕叹息。而这一切悲剧，都来自迪伊对“魔法”的盲信。尽管他的目标或许是高尚的，然而由于他对世界的错误认识，使他一无所成，一无所有。他原本可能可以创造无数令人震撼的科学创新和智力奇迹，可如今，他唯一流传至今的创新，可能只是“大英帝国”这个词汇。由此可见，人是多么容易被自己的执念左右，见识的高低不同，偏正与否，可能将会决定我们一生的命运。因此，从现在开始，树立良好的世界观，培养自己高远的见识，是有心做一番事业的我们的第一要务。

[智慧箴言]

才如战斗队，学如后勤部，识是指挥员。才如斧刃，学如斧背，识是斧柄的手。

——王梓坤

三、才是加速器，驱动创新走向远方

知识的积累，是创新的基础。在此基础之上，能否出色地运用我们的所知所学为我们的创新服务，是决定我们成就大小的重要因素。这种我们每个人都具备，却又独一无二的

素质，我们称之曰“才”。

我们每个人运用知识的能力都不尽相同，有的人反应敏捷，有的人思维缜密；有的人喜欢实验操作，有的人擅长抽象思维；有的人善于与人交流，有的人惯于独立思考……若是让一个喜欢抽象思辨的人天天去摆弄试验仪器，或者让一个善于讨论交流的人关在房子里冥思苦想，不仅仅无法达到令人满意的效果，还是一种对才能的浪费。而我们只有清楚地认识自己的才能，并从事与之相适应的研究、工作，才能真正地如鱼得水，一展胸中所学。

普朗克是著名的德国物理学家，是量子理论的奠基人。在他的一生中，做出过无论是对他自己还是对世界都非常重要的两个决定：其一，投身于物理事业；其二，研究黑体辐射问题，进而使得量子理论得以问世。而这两个决定，都是普朗克在审视了自己的性格与才能之后做出的正确选择。

其实，普朗克第一次比较正式地学习数学和物理，是在他十五六岁的时候。他的祖父是神学家，而父亲和叔父都是法学教授——在普朗克小的时候，他的家人都希望他也能从事类似的工作。普朗克还有着出色的音乐天赋，他会唱歌，会弹钢琴和管风琴以及其他多种乐器，还多次为歌曲或歌剧谱曲。尽管他在中学期间得到了数学家米勒的启蒙，第一次接触学习数学和物理，并对其产生了比较浓厚的兴趣，可是另一位物理学家却试图阻止普朗克投身到物理研究中——他告诉普朗克，物理学已经研究到头了，所有应该研究的伟大领域都有人研究了，剩下的只是一些微不足道的空白、一些烦琐次要的细节罢了。这不是这位物理学家的一家之言，而基本是当时物理学界的共识：物理学已经研究完备，已经失去了生命力，已经没有新物理学家的跻身之所了。

普朗克最终还是选择了物理。他认为，他的性格追求完美，喜欢精益求精，相反，他自己的音乐天赋并不出众。普朗克曾说，如果他继续学习钢琴，他一定能成为一个好钢琴师，但绝对成不了一个大钢琴家。因此他并不打算继续学习音乐。而对于家族的期望，普朗克认为法律条文或者神学教义对他来说太过枯燥。普朗克确实是一个保守的人，崇尚秩序与规律，然而这并不代表他喜欢古板的法律或者神学。他认为，他更擅长去观察、理解秩序。如果能经由自己的手来发现或者建立一些秩序，那就再好不过了。而物理学，正是他追求完美而略显保守的性格的最佳舞台。对于类似“物理学已经研究到头了”的劝说，普朗克这样回应道：“我并不期望发现新大陆，只希望理解已经存在的物理学基础，或许能将其加深。”

正是带着这样对自己兴趣的热忱和对自己才能的自信，普朗克选择了物理学作为他的大学专业。然而，似乎正如物理学界所公认的那样，物理学领域已经没有什么能够建功立业的地方了。普朗克进入大学以后的生活极其平凡，他固然能够轻松应付功课，可离“出类拔萃”还是差了十万八千里。普朗克也偶尔吐槽某些老师讲课单调乏味或者疏漏百出。他也偶尔不去听课，去自学克劳修斯的热力学讲义。出于对克劳修斯的钦慕，他还选择了热力学作为自己的研究方向，并在这一领域完成了他的博士论文——不过他的博士论文也没什么人看，反响平平。他提出了一个热动力学公式，结果有一天突然得知，这个公式早就被人提出过了。他试图为某个电离理论提供热力学解释，结果尴尬地发现这个解释有矛盾的地方……总而言之，普朗克从大学生，到博士，到物理学老师再到教授，他的学习和研究工作都完成得还行。不过也仅仅是还行而已，毫无亮点，波澜不惊。

直到他决定去研究黑体辐射问题。所谓黑体，指的是理论上存在的一种物体，它能吸收所有射向它的电磁波。光也是一种电磁波，当光照射黑体时，由于没有反射光，该物体看起来就完全是黑黝黝的一片，于是人们命名它为黑体。不过，由于它自己存在温度，还是会向外辐射电磁波的。黑体辐射问题，就是研究黑体自身的温度和它所辐射出的电磁波谱的关系。在普朗克前不久，一个名叫瑞利的科学家根据经典统计力学推出了公式，但是这个公式只能适用于低温情况下，在高温情况下和实验事实严重不符。而另外还有一个维恩公式，它只能适用于温度比较高的情况下，而温度较低的时候却又与实验不符了。人们始终难以找到一个既符合理论又符合实验的公式来描述黑体辐射问题。

这个问题一直困扰着物理学家们。而普朗克相信自己能解决这个“小小的”问题。当他看到这个问题的时候，他就知道这个问题是属于他的——所有的零部件都散落在那里，他要做的只是把它们收集起来，慢慢地把它们从散乱归于有序。而这正是普朗克所擅长并且喜好的。在这个问题上，他的才能能够得到充分发挥。

于是普朗克花了 6 年的时间，不疾不徐地进行研究，最终为这个问题找到了解答，正如他所预料的那样。不过，他所没有预料到的是，他的工作并不仅仅是解决了这个“小小的”问题，而是掀起了量子理论的革命浪潮，使自己成了量子力学的奠基人，彻底改变了整个物理界。爱因斯坦、波尔、薛定谔……这些鼎鼎有名的物理学家，都将在普朗克的工作基础上，取得无数革命性的创新成果。而原本“死气沉沉”的物理学领域，也将迎来它的新生命。

没有普朗克的成果，就没有今天的物理学，今天的家用计算机、智能手机等高科技产品也都不会问世。普朗克之所以能得出这样的成果，是因为他能够正确认识并且充分相信自己的才能，进而选择了正确的道路——献身“研究到头”的物理学和钻研无人能解的黑体辐射问题。可以说，我们今天的种种科学创新和技术创造，在很大程度上得归功于普朗克的这两次选择，归功于他对自己才能的了解与信任。因此，在我们面临升学、就业、创业等抉择时，一定要认真审视，什么是自己感兴趣的，什么又是自己可以接受的；什么是自己擅长的，什么又是自己能够胜任的……只有当你充分了解自己的才能与你想从事的工作是否契合，才能做出最适合自己发展的选择。

［智慧箴言］

能力永远和它的发挥有关，不论这种发挥是现实的或是可能实现的。

——休谟

四、学是不竭源泉，浇灌创新的大观园

俗话说，没有无源之水，无本之木。创新，也绝不是从无生有、凭空创造的，而是经由我们精深的学问、高远的见识与独到的眼光等等素质互相交融激荡而迸发出的智慧火花。在这之中最为基础的，那就是知识积累的深度与精度了。广博的涉猎可以帮助我们开拓思路、延展视野，在思想的融合与碰撞间激射出新奇的光彩；而对某一领域独到而深入的见解，可以帮助我们见前人所未见，道前人所未道，发前人所未发，创出一片新世界。

面向新世纪，全球经济一体化、信息时代的到来，人类的思维方式、生活方式和工作方式也会随之发生变化。青少年面对业已到来的知识经济时代，唯有“懂学”“会学”，才能在激烈的竞争中立于不败之地，才能不断地延伸和拓展职业时空，才能在一定的职业环境和条件下更好地生存与发展，才能在人生的道路上实现更多的创新和创造。

创新需要实践，学习提升实践。创新在本质上是探索未知的过程，在复杂多变的创新实践中，面对纷繁复杂的诸多现象，只有不断学习、反复学习、深入学习，才能认清事物本质，决定前进方向，实现创新突破。

创新需要学习，学习点燃火把。学习可以调动人的探索兴趣和求知欲，增强对新事物的敏感性，从而激发创新热情。创新思维要求人们具有广博的知识面，特定的知识结构，非凡的智力技巧和思维能力，必须通过不断学习才能提高。

放眼当今社会，科技竞争日趋激烈，广大青年一定要以只争朝夕的紧迫感，如饥似渴地学习，既认真学好基础知识，又及时进行知识更新；既刻苦钻研专业知识，又广泛涉猎其他知识；既重视学习文化知识，又努力掌握实用技能。不断充实自己、提高自己、丰富自己，做一名有为的科技青年，为国家创新驱动战略贡献力量。知识积累的专与博都很重要，两者决不可有所偏废。

人一生的精力有限，不可能在很多的领域都有精深的造诣。即便是胡适这样的大家，也是以哲学为根，在哲学、历史和文学的某些领域卓有成就罢了，也没有做到他所希望的通晓万事。就算是这样，胡适也已经是首屈一指的博学者了。而对于我们来说，尤其是在知识爆炸，学科细化的今天，我们即使想要同时精通两三个领域，也是极其困难的事情。因此，在我们积累知识的过程中，还是要将重心放在自己所专精的领域上，再辅以适当的广泛涉猎，触类旁通。孔子精通六艺，可是，不会射箭的孔子还是孔子，而没研读删改过《春秋》的孔子还是孔子么？爱因斯坦爱好音乐，可是，不会拉小提琴的爱因斯坦还是爱因斯坦，但没提出过相对论的爱因斯坦还是爱因斯坦么？如果说，广博的知识是肥沃的土壤，那我们所精通的领域就是这片土壤里无数种子中的一颗。没有充足的知识底蕴，种子可能发育不良，可是如果我们不选定一两颗种子精心培育，而是今天这里浇浇水，明天那里松松土，那就根本不会有种子发芽！创新之花，固然需要土壤里的养料，可它归根结底，是从种子中成长出来的！愿大家能合理分配自己的精力，精于一，有所博，在属于自己的领域中，开创出一片新的世界！

[**智慧箴言**]

闻道有先后，术业有专攻。

——韩愈

（吴显奎　冯础　刘松柏）

第七章　青年科技的创新与继承

人类各个学科领域的发展,都表现为继承与创新的统一。创新不是凭空的，在继承的基础上发展，才能创新。在继承中创新，在创新中发展，这是一种普遍现象。科学技术发展的历史表明，继承是创新的基础和前提，创新是继承的目的和发展，在继承的基础上不断创新，推动着自然科学和技术的不断发展，这是一条客观的规律。

青年科技创新，无论是重大发现或是重大发明，都不可能是闭门造车，凭空想象产生的。任何一个青年创业者，只能在吸取前人（或他人）已经取得的经验、知识和成就的基础上，从事科学研究和发明创造，才有可能取得成功。也就是说，创新必须以继承为前提和基础。缺少了继承，创新便会变成无源之水，无本之木。另一方面，科学的继承，不是简单的前后相继和兼收并蓄,而是充满着批判的革命的精神。创新是在继承上的发展、突破和跨越，两者是相辅相成，辩证统一的关系。

古希腊先哲赫拉克利特说：“太阳每天都是新的。”

创新是指新的发现、新的发明、新的认识、新的方法和新的理论，一句话，就是给科学宝库增添前所未有的新东西。比起继承来，创新更为重要，因为只有不断地创新，才能使科学技术充满活力，向前发展。没有创新，不但科学得不到发展，而且人类社会也将停滞不前。

一、站在巨人的肩上

牛顿是家喻户晓的大物理学家。他的巨著《自然哲学的数学原理》，系统地总结了三大运动定律和万有引力定律，把地上的运动规律和天体的运动规律纳入一个统一的理论中，从而完成了人类知识的第一次大综合。他所创立的牛顿经典力学体系，影响世界达 300 多年，至今仍在造福人类。牛顿对近代文明的进步起了不可估量的作用。

当有人问牛顿为什么会取得这样辉煌的成就时，牛顿回答说:“如果我看得更远些，那是因为我站在巨人的肩膀上。”

牛顿的话并不是一时的谦虚之词，他说的是实情。所谓“站在巨人的肩膀上”，指的就是他的伟大发现是建立在哥白尼、伽利略、开普勒这些巨人成就的基础上的。

就拿他发现万有引力定律来说吧。据科学史记载，牛顿对万有引力的研究不是从零开始的，在他之前，已有许多人做过开拓性的工作。

1543年哥白尼提出了“天体运行论”，以太阳为诸行星的运转中心和地球自转来解释星象，对人类以自我为中心的宇宙观作了一个革命性的改变。其后，开普勒根据丹麦天文学家第谷多年的观察记录，总结出了行星运行三大定律。行星运行第一定律又称轨道定律，它指出“行星沿椭圆轨道运动，太阳在椭圆的一个焦点上”；行星运行第二定律又称面积定律，说的是“在相同的时间里，太阳和运动着的行星之间的连线扫过的面积相等”；行星运行第三定律又称周期定律，也即“行星公转周期的平方与它同太阳距离的立方成正比”。

开普勒的成就使哥白尼理论大为改观，从而为后来的牛顿发现万有引力定律开辟了道路。

开普勒最伟大的贡献，是打破了天体只能做匀速圆周运动的旧的天文观念，从大量观测数据中总结出行星运动的三大规律。他因此被誉为“天空的立法者”。开普勒从第谷大量准确如实的观测记录中总结出了规律，这是他了不起的地方。不过他发现的只是事实，并未找到原因。也就是说，开普勒判明了行星应该是这样运行的，至于行星为什么会这样运行，开普勒并不知道。牛顿后来找到了原因，这就是万有引力定律。开普勒还有一个局限，就是在力学问题上，他仍然承袭了亚里士多德的旧观念，认为物体需要不断施加推动力才能保持运动。

伽利略和开普勒恰好相反，他否定了亚里士多德的旧力学观念，阐明了如果没有外力作用，物体将永远保持原有的运动状态。但是伽利略尽管发现了天空里那样多的“新大陆”，却坚持行星运动是匀速圆周运动的传统观念。

伽利略的伟大贡献开辟了经典力学和实验物理学的先河。他确立了自由落体定律，发现了物体的惯性定律、合力定律、抛物运动规律，并提出了运动的相对性原理，还对速度、加速度等运动学的基本概念作了严格的定义。所有这些对牛顿力学的建立，都起到了重要的奠基作用。伽利略因此被称为“近代物理学之父”。

亚里士多德认为，物体只有在一个持续的推动力作用下，才能保持运动；一旦推动力停止作用，物体就会停止下来。哥白尼的学说起初遭到反对，除了与《圣经》相违背外，还有一个原因就是找不到力学的解释。如果没有一个永恒的力推动，偌大一个地球为什么会如此风驰电掣般运转呢？

伽利略根据对自由落体的研究，并且通过大量斜面运动实验，推出了他的著名的惯性理论。伽利略的结论是：运动并不需要力来维持。这是一个观念上的革命。牛顿正是从伽利略的惯性理论出发，总结成为第一定律，即惯性定律：“每个物体继续保持其静止或沿一直线做等速运动的状态，除非有力加于其上，迫使它改变这种状态。”这一定律是牛顿力学最重要的基石之一。

伽利略找到了问题的答案：外力作用改变的是物体运动的速度，也就是产生加速度。换句话说，速度本身不是外力的作用，速度的改变才是它的结果。物体既然存在惯性，天体运动就没有什么神秘的了。行星一旦具有运动，无须一个永恒的外力推动，也会永远在太空遨游。

不过让人费解的是，为什么行星不沿直线运动，而是做环绕的圆周运动呢？伽利略解释不了这一点。这位大师误认为，等速圆周运动也是惯性运动，因而行星正是按圆周轨道做等速运动，才能永恒地运转。伽利略成功地解决了地上的运动，对于天空的运动，他就束手无策了。

正是伟大的牛顿把伽利略的“地上的运动”和开普勒的“天上的运动”统一了起来。开普勒和伽利略各自有其伟大发现，但又“互不理会”对方，因此两人都没能发现万有引力，最后让牛顿拔得头筹。现在我们明白了：牛顿一只脚站在伽利略肩上，另一只脚站在开普勒肩上。他因此看见了这两位巨人都未看见的上帝构筑的宇宙大厦！在《自然哲学的数学原理》的全书中，都体现了牛顿的这个初衷，他将新的数学工具运用于分析引力、潮汐、彗星、声和光、流体阻力，乃至整个宇宙。其中一个最辉煌的战果就是万有引力定律。

牛顿经过严密的数学论证，得出结论：“万物彼此都吸引着；这个引力的大小与各个物体的质量成正比例，而与它们之间的距离的平方成反比例。”

这就是著名的“万有引力定律”。

牛顿运用万有引力定律，不仅解释了已有的理论已经说明的现象，如伽利略发现的惯性定律和自由落体定律；而且能说明并解释已有的理论不能解释的现象，如圆满地解释了开普勒的行星运动三定律；更难得的是，它还预见了尚未发现的天文现象，包括后来证实的天王星的存在。

[智慧箴言]

把简单的事情考虑得很复杂，可以发现新领域；把复杂的现象看得很简单，可以发现新定律。

——牛顿

二、伟大的科学三部曲

电磁理论的创立，是19世纪科学史上的一次革命。它突破物理学的传统观念，揭示出电磁现象的本质，预见了电磁波，使电子科学技术发生了飞跃。这次革命改变了世界文明的面貌，它的重大意义，足以与进化论、细胞理论、能量守恒和转化定律三大发现相比。爱因斯坦曾指出，这“是物理学自牛顿以来的一次最深刻和最富有成效的变革。无数科技工作者投入和推动了这一变革，其中有三位主将，值得后人永远纪念。他们是：法拉第、麦克斯韦、赫兹”。

他们前仆后继的科学接力和卓越贡献，在科学史上谱写出动人的“继承—创新—发展”三部曲。

法拉第是电磁理论的奠基人。他一生发现极多，在电磁、电解和化学领域都有所建树。法拉第在近代物理学上的声誉，几乎可以同牛顿并驾齐驱。因此有的西方科学史家，把他捧为“先知先觉”，甚至说他“可以闻出真理来”。

法拉第成为电磁理论的创始人，不是偶然的。任何科学理论都不是凭空产生的，它是人类智慧长期积累和发展的结果。在法拉第之前，有许多先行者为探求电磁之谜做过贡献。1800 年，意大利电学家伏打在伽伐尼蛙腿试验启发下，发明了电池，为电磁研究提供了最重要的物质条件——持续的电流。

1820 年，丹麦物理学者奥斯特发现了电流使磁针偏转的效应，第一次展示了电和磁有联系，这一发现是近代电磁学的突破口。紧接着，同一年法国的安培用实验表明，通电导线框相当于一个磁体；另一位科学家也发现螺旋电流能使钢针磁化。这样，电和磁有关系是确凿无疑了。法拉第发现电磁感应，就是这一工作的接力。在奥斯特公布结果翌年，他怀着极大的兴趣重复了奥的实验，受到很大启发。他搜集了各种电磁实验的资料，仔细加以研究比较后确信：电和磁就像铜币的图案面和文字面一样，是同一事物的两面。法拉第在笔记中写下了一个闪光的设想：“由电产生磁，由磁产生电。”为了实现这一目标，法拉第进行了长达 11 年的实

验研究，终于在 1831 年发现了著名的电磁感应现象——变化的磁场在导线里产生感应电流。这个发现比奥斯特、安培等人的实验进了一层，它用事实证明了，不仅电可以转变为磁，磁也同样可以转变为电，从而揭示出电和磁两种物理现象的内在统一性。

1846 年，法拉第发表了论文《关于辐射线振动之思考》，这是法拉第科学著述中的瑰宝，它的光彩直到几十年后才为人们发现。这篇论文包含了光的电磁理论的雏形：法拉第定性地提出，电力线和磁力线的振动，就可以产生光和其他辐射现象。一个带有革命性质的、使人耳目一新的学说，就这样诞生了。

不过，法拉第主要是实验家。他的一位朋友曾说："一个实验做成功了，能使他几乎快乐得跳起舞来。"他一生研究电学的总结性著作，书名就叫《电学实验研究》，而且在这部巨著中找不到一条数学公式。世上没有完人，无论政治伟人还是科学泰斗，都不可能十全十美。法拉第的短处，是基本上不懂数学，尽管他的思想方法改变了物理学的传统观念，但他始终未能把他的发现和见解精确地表达出来，升华到理论的高度。这个任务，后来历史性地落在麦克斯韦的肩上。

麦克斯韦是电磁理论的集大成者，他比法拉第小 40 岁。麦克斯韦在总结法拉第等人研究成果的基础上，继续深入研究并加以创造性地发展，十年后完成了电磁理论的经典著作《电磁学通论》。在这部鸿篇巨制里，麦克斯韦在法拉第工作的基础上，总结了人类在19世纪中叶以前对电磁现象的研究成果，建立了电磁场的基本方程。“他指出当时已知的全部光和电磁现象，都可以用他的著名的两组微分方程来表示”（爱因斯坦语），这就是有名的麦克斯韦方程组。这一高度抽象的数学公式，惊人地把电荷、电流、电场和磁场间的普遍联系完全统一起来，同时精确地表明电磁场的运动具有波动性质，它在空间以有限速度（相当于光速）传播，并且光在本质上就是一种电磁波。电磁理论的宏伟大厦，就这样巍然矗立起来了。

但是一些守旧的学者大表怀疑：“世界上真有看不见摸不着的电磁波吗？”

1888年，赫兹用实验发现了人们怀疑和期待已久的电磁波。赫兹的实验公布以后，轰动了全世界的科学界。由法拉第开创、麦克斯韦总结的电磁理论，到这时候才取得了决定性的胜利！

1888年，成了近代科学技术史的一座里程碑。赫兹的发现具有划时代的意义，它不但证明了麦克斯韦发现的真理，更重要的是导致了无线电的诞生，开辟了电子技术的新纪元。理论只能够解释世界，它只有回到实践中才能够改造世界。赫兹的不朽功绩，就在于他客观上促成了这个转变。

电磁波的发现所产生的巨大影响，连赫兹本人也没有料到。在他发现电磁波的第二年，有人问他，电磁波是不是可以用作无线电通信，赫兹不敢肯定。但是不到6年时间，意大利的马可尼（1874 — 1937）、俄国的波波夫（1859 — 1906）就分别实现了无线电传播，并且很快投入使用。其他无线电技术，也像雨后春笋般地涌现出来。无线电报（1894）、无线电广播（1906）、无线电导航（1911）、无线电话（1916）、短波通信（1921）、无线电传真（1923）、电视（1929）、微波通信（1933）、雷达（1935）以及遥控、遥测、卫星通信、射电天文学等，都是这个变革的产物，整个物质世界的面貌发生了深远的变化。

如果把电磁理论比作一座雄伟的高楼，那么，是法拉第给它打下了坚实的地基，麦克斯韦在地基上建成了大厦，最后是赫兹对这座大厦进行了内部装修，使它能够被人们广泛利用。电磁理论创立的历史，生动地印证了科学技术“继承—创新—发展”的客观规律。没有法拉第发现电磁感应定律，麦克斯韦不可能创立电磁理论并预见电磁波；没有麦克斯韦的理论创新，赫兹也不可能于1888年发现电磁波，从而改变世界，开辟人类的无线电时代。正是这个原因，法拉第、麦克斯韦、赫兹的名字，永远和继承与创新联系在一起，光照史册！

[智慧箴言]

科学是没有边界的，我们不能把它们限制在狭隘的范围之内。我们应该开拓新的领域，探索前沿性的东西。

——麦克斯韦

三、莫尔斯与电报

电为人类服务，要算电报是最早的了。电报是改变人类文明世界的伟大发明之一。在电话普及之前，它肩负着世界交流的重大使命。人类通过电报第一次可以快捷、方便而且高效地远距离传递信息。有趣的是，发明电报的人不是物理学家，也不是工程师，而是一位美国画家，他的名字叫塞缪尔·莫尔斯。一个搞美术的，竟成为有线电通信的开创者，这好像有些不可思议，说起来这正是科技创新与继承的一个最佳案例。

事实上，在莫尔斯之前，已有人发明了电报。早在1753年就有人试图用电来实现通信。当时电池还没有发明，科学家只能借助于静电感应。一个叫摩立孙的人，曾经设计架设26条导线，每条代表一个字母，当导线接上电的时候，在导线另一端相应的纸就被吸引，记下一个字母，这样类推，拼成词语，来传递信息。这大约是最早的有关电报的工程设计，可是因为方法原始，而且用静电感应传不远，

信息的传递始终没有能够实现。在摩立孙以后，不少学者提出其他方法，也做过多种实验，有的用单线取代 26 条导线，或是用木球代替纸球，但是经过 40 多年的努力，没有什么成效。

1820 年，丹麦物理学家奥斯特发现了电流能够转动磁针的效应。这个近代电磁学上的重大发现，给电报的实现带来了希望。第二年，法国电学大师安培就提出可以用电磁效应来传递消息。在这十年时间里，人们进行了大量探索，但是却没有找到一种既有效又实用的方法。

莫尔斯开始研究电报时，吸取了这些先行者的经验。特别是美国物理学家亨利一年以前提出的电报原理，对莫尔斯有很大启发。亨利用电磁铁做成电铃，可以把信号传到 1.6 千米远的地方。这实际是“电磁音响式电报机”的最早模型。莫尔斯决定采用亨利的原理，进行深入的实验。他买来各种电工器材和工具，在家里夜以继日地干起来。从前的小画室变成了地道的实验室，到处都是线圈、磁石和导线。他的写生簿也涂满了各式各样的方案和草图。莫尔斯的全部生活和希望都凝聚在这个小小的实验室里了。冬尽春来，秋去冬至。他画了一张又一张草图，进行了一个又一个试验，但是每次都以失败而告终。

莫尔斯苦苦思索着。他反省了自己的设计思路，认真地检查了所有的实验。多少个不眠之夜过去了，莫尔斯终于找到了问题的症结：踩着别人的脚印是不能走在前面的，必须寻找创新之路！经过反复思考，一个崭新的思想酝酿成熟了。他在科学笔记上充满信心地写着：

电流是神速的，如果它能够不停顿地走十英里（1 英里约合 1.609 千米），我就让它走遍全世界。电流只要停止片刻，就会出现火花，火花是一种符号；没有火花是另一种符号；没有火花的时间长又是一种符号。这里有三种符号可以组合起来，代表数字和字母。它们可以构成全部字母，文字就能够通过导线传送了。这样，把消息传到远处的崭新工具就可以实现了！

莫尔斯的这个构思，是电报发明史上一项重大的突破。在这以前，人们的试验，都是用多根导线或是磁针偏转的多种位置来代表不同字母，26 个字母就要有 26 种不同的状态，因此设备庞杂，很难实现。莫尔斯设想用点、划与空白的组合来表示字母，只要发出两种电符号，就能够传送消息。这就大大简化了设计和装置。莫尔斯规定了特定的点划组合，表示各个字母和数字，这就是著名的莫尔斯电码，也是电信史上最早的编码。

正是这一创新，使莫尔斯超越了以前所有的电报发明家，获得了辉煌的成功。由此可见，继承是创新的基础，而创新是科技进步的生命。

1844 年 5 月 24 日，人类通信史上的庄严时刻到来了。

这一天，华盛顿沉浸在节日般的气氛中。莫尔斯在国会大厦联邦最高法院会议厅里，向64千米外的巴尔的摩拍发了人类历史上第一份电报："上帝创造了何等的奇迹！"

[**智慧箴言**]

谁也不知道，为了完善电报机，我不停地工作了多少个日日夜夜。我只有一个想法，就是我手中的发明，可能开创人类文明发展史上的一个新时代，可能造福千百万人民。正是这个信念支持着我去进行这些实验。

——莫尔斯

四、诺贝尔的功勋

诺贝尔是伟大的炸药发明家，也是诺贝尔奖的创立人。这两项贡献（缺一不可），使他成为彪炳史册的科学巨人。诺贝尔的一生和硝化甘油（硝化甘油即液体炸药）结下了不解之缘。

硝化甘油并不是诺贝尔发明的，其发明人原本是意大利的一位教授——索布雷罗。但那个教授驾驭不了硝化甘油，后来放弃了。诺贝尔驾驭住了硝化甘油——他发明了用雷管引爆，于是成为炸药大王。诺贝尔一系列重大的炸药发明，诸如硝化甘油炸药、黄色炸药、炸胶、无烟炸药等，都和神秘的硝化甘油密切有关。这每一种炸药的发明过程，都很有戏剧性，非常精彩。灵感，顿悟，长时间的寻求，都有。

在诺贝尔之前，人们唯一知道和使用的炸药是黑色火药。黑色火药是中国古代的四大发明（造纸术、指南针、火药、印刷术）之一，距今已有 1 000 多年的历史。黑色火药的优点是易于控制，使用安全。缺点是爆炸力低，属于低爆炸性炸药。研制出一种威力比黑火药大得多的猛烈炸药，是很多发明家梦寐以求的。他们探索了多年，并做过很多尝试，但都没有成功。

1847 年，35 岁的索布雷罗用硝酸和硫酸处理甘油，结果得到一种黄色油状液体，这就是硝化甘油。索布雷罗意外发现，这是一种威力很大但不稳定的爆炸物，受到同等刺激如撞击等，有时爆炸，有时却没有反应。有一次，索布雷罗把这种液体滴了一滴在试管里加热，结果试管猛烈爆炸，玻璃碎屑嵌进了他的面部和双手，实验室里离他很远的人也被炸伤了。诺贝尔的老师津宁教授就对诺贝尔说过：“最终索布雷罗放弃了这种油状液体的试验，因为太危险了。实际上，硝化甘油就是一种威力很大的液体炸药。”

“哦，硝化甘油像神话里的魔鬼哟！”诺贝尔惊叹道。

“嘿嘿，谁驾驭了这头魔鬼，谁就会成为炸药大王。”津宁教授鼓励诺贝尔，只要解决了安全问题，就能驾驭住索布雷罗发现的“魔鬼”。

诺贝尔在津宁教授的激励下，投入了与“魔鬼”打交道的炸药研究。经过不懈的努力，诺贝尔发明了雷管，终于解决了如何控制硝化甘油爆炸的难题。雷管的原理是点燃引信使黑火药先燃烧，再引燃硝化甘油产生爆炸。硝化甘油炸药的研制，是一个带有革命性的创新发明。这是诺贝尔对整个现代炸药业划时代的贡献。

但是雷管只解决了控制硝化甘油引爆的问题，并没有解决硝化甘油炸药运输和使用的安全问题。硝化甘油炸药投入市场后，当时人们对新炸药的性能并不是很了解，一般人都以为它没有危险。但是随着硝化甘油炸药的使用量日益增大，“烈兽”的爪牙就露出来了，一连串硝化甘油爆炸的噩讯从世界各地传来。这些惨痛的事故，使世界各国对硝化甘油炸药失去信心，有些国家政府甚至下令禁止制造和贮藏硝化甘油。法国、比利时率先这样做了。1868 年 7 月 24 日，瑞典政府也下令，禁止运输硝化甘油炸药。

面对这种艰难的处境，诺贝尔感到了局势的严峻。如果不能驯服硝化甘油这头“烈兽”，方兴未艾的炸药产业必将面临破产。诺贝尔意识到出路只有一条，那就是找出硝化甘油不稳定的解决办法，只有这样，才能研制出一种既具有硝化甘油爆炸威力，同时又安全的炸药。

为此诺贝尔绞尽脑汁，进行了大量的试验。硝化甘油实质就是一种液体炸药，所以它有个外号，又称“爆炸油”。

正因为是液体，所以很难控制。诺贝尔大胆设想：如果想办法把液体硝化甘油固化，会不会改善它的弊病呢？所谓固化，就是在硝化甘油中加入某些固体物质，让它变成固体炸药，这样既便于运输，又能保持其猛烈的爆炸威力。这是一个创新，诺贝尔经过反复试验，最后获得巨大成功。他采用一份经过烧炼筛选的硅藻土吸收三份硝化甘油，获得了一种新型固体塑胶炸药，其爆炸力比同样数量的黑色火药高出5倍，使用起来方便又安全。这就是著名的“达纳炸药”，又称“诺贝尔安全炸药”，也称“黄色炸药”。人类第一次制成了运输和使用都很安全的硝化甘油工业炸药。此时的诺贝尔33岁。他为世界的炸药工业做出了划时代的贡献。

有个喜剧意味颇浓的插曲。诺贝尔的黄色炸药问世后，有份美国科技杂志报道了这种新炸药的奇妙特性。当时正在波士顿西部联合电报公司当电报员的爱迪生读了后，决定亲自体验一下。他和朋友亚当斯搞到一点达纳炸药，试了一下，爆炸的威力让他们吓了一大跳。21岁的爱迪生在日记里写道：“我们试验的分量只有很小的一点，但却产生了可怕的和意想不到的结果，我俩都惊骇不已。至此，才认清此物非比寻常。清晨6点钟，我便将炸药装进一个小药瓶里，拴上一根绳子，包在纸里，扔进华盛顿街的一个阴沟里了。”

后来这位发明大王再也没有做过炸药试验。说起来也是他和炸药没有缘分。爱迪生和诺贝尔各有各的绝活，也各有各的天地。

达纳炸药及诺贝尔后来的改良型号，直接和间接地带来了一场无法估量的革命。在黄色炸药进入世界市场之后，从前一些不敢想象的矿业、工业和交通运输方面的大型项目，现在能够马上动工了。仅以诺贝尔生前进行的几项大型工程为例，就有圣戈特哈德铁路的隧道工程（1872—1882）；纽约东河地狱门的暗礁爆破清除工程（1876 年和 1885 年）；铁门地段的多瑙河疏浚工程（1890—1896）；希腊的 295 英尺（1 英尺等于 0.304 8 米）深，约 4 英里长的科林恩运河开凿工程（1881—1893）。

瑞典传记作家伯根格伦评价说："可以说阿尔弗雷德·诺贝尔的炸药，为蒸汽机开创的发展时代，增添了另外一份耀眼的动力。"

诺贝尔的功勋，是站在前辈索布雷罗的肩上获得的。没有索布雷罗发明的硝化甘油，诺贝尔不可能成为改变世界的"炸药大王"。但是如果没有诺贝尔的勇于探索，大胆创新，硝化甘油永远只能锁在索布雷罗的柜子里。

[智慧箴言]

人类从新发现中得到的好处总要比坏处多。

——诺贝尔

五、另一个故事的启发：瓦特发明蒸汽机

瓦特是世界公认的蒸汽机发明家。他发明的蒸汽机带动了工业革命，使人类的生活和世界文明完全改观。人称“它武装了人类，使人虚弱无力的双手变得力大无穷”。瓦特不愧是改变世界的大发明家。

耐人寻味的是，瓦特实际上并不是蒸汽机的发明人。因为在瓦特之前，蒸汽机已经在使用，这就是赫赫有名的纽可门蒸汽机。它是英国发明家纽可门在1705年发明的，用来驱动独立的提水泵，又称“纽可门泵”。而在更早的1698年，英国的萨弗里就发明了蒸汽泵排水，不过比较简陋。纽可门蒸汽机比萨弗里的机器有所改进。它先在英国，后来在欧洲大陆得到运用。但是纽可门蒸汽机存在一个重大缺陷：热效率很低，是个“煤老虎”，只在煤价低廉的产煤区才得到推广，用于煤矿排水。这主要是由于蒸汽进入汽缸时，在刚被水冷却过的汽缸壁上冷凝而损失大量热量。

1764年，瓦特为格拉斯哥大学修理纽可门蒸汽机模型时，注意到了这一致命的缺点。瓦特发现，纽可门蒸汽机热效率低的原因，是由于活塞每推动一次，气缸里的蒸汽都要先冷凝，然后再加热进行下一次推动，从而使得蒸汽80%的热量都耗费在维持气缸的温度上了。

为了克服纽可门蒸汽机的缺陷，瓦特开始思考改进的办

法。1765 年春天，瓦特在一次散步时想到，既然纽可门蒸汽机的热效率低是蒸汽在缸内冷凝造成的，那么为什么不能让蒸汽在缸外冷凝呢？瓦特由此产生了采用分离冷凝器的最初设想。瓦特克服了各种困难，终于在 1769 年制出了采用分离冷凝器蒸汽机的第一台样机，并取得他的第一项专利。第一台带有冷凝器的蒸汽机同纽可门蒸汽机相比，热效率有了显著的提高。

1781 年，瓦特又研制出一套被称为“太阳和行星”的齿轮联动装置，把蒸汽机活塞往返的直线运动，转变为齿轮的旋转运动。为了使轮轴的旋轴增加惯性，从而使圆周运动更加均匀，瓦特还在轮轴上加装了一个火飞轮。由于对传统机构的这一重大革新，瓦特的这种蒸汽机才真正成了能带动一切工作机的动力机。同年底，瓦特获得了在革新纽可门蒸汽机的过程中的第二个专利。

1782 年，瓦特再接再厉，试制出了一种带有双向装置的新汽缸。他把原来的单向汽缸装置改装成双向汽缸，并首次把引入汽缸的蒸汽由低压蒸汽变为高压蒸汽，这是瓦特在改进纽可门蒸汽机的过程中的第三次技术飞跃。

通过这三次创新，三次技术飞跃，纽可门蒸汽机完全演变为瓦特蒸汽机，蒸汽机才真正成为可以普遍应用的蒸汽机。瓦特因此被公认为蒸汽机最主要的发明人。

瓦特改进、发明的蒸汽机是对近代科学和生产的巨大贡献，具有划时代的意义，它导致了第一次工业技术革命的兴起，极大地推进了社会生产力的发展。到 19 世纪 30 年代，蒸汽机广泛应用到纺织、冶金、采煤、交通等产业去，很快引起了一场技术革命。美国人富尔顿发明了用瓦特蒸汽机作动力的轮船；英国人史蒂芬逊发明了用瓦特蒸汽机作动力的火车。瓦特的蒸汽机成为真正的国际性发明，它有力地促进了欧洲 18 世纪的产业革命，推动世界工业进入了“蒸汽时代”。为纪念瓦特的贡献，国际单位制中的功率单位以瓦特命名。

[智慧箴言]

最好是把真理比作燧石，它受到的敲打越厉害，发射出的光辉就越灿烂。

——瓦特

六、比尔·盖茨是如何成为软件之王的?

一张阳光灿烂的娃娃脸，沙栗色头发，细框眼镜后面露着自信的微笑——世界上几乎人人都认识这个模样。他就是微软帝国之王比尔·盖茨，一个旷世的电脑奇才，全球软件业的霸主，世界最年轻的首富。

他 13 岁开始做商业软件设计。

17 岁创办自己的首家公司。

20 岁担任微软公司董事长。

31 岁进入美国《福布斯》亿万富豪榜。

不到 40 岁成为世界首富。

2005 年他再次登上世界首富的宝座。

他拥有的财富可以买下一个国家，出行乘飞机却喜欢坐普通舱。

他创造的奇迹为人们所赞叹。他成功的经历，成了人们津津乐道的话题。

他曾经宣称："任何会动的东西，都是我们的猎物。"有人因此把他形容成一条"风度翩翩的大白鲨"。《财富》记者称他和乔布斯是"两个可怕的微机小孩"。乔布斯的"可怕"，在于他屡战屡败，屡败屡战，永远不会趴下。作为软件巨头，比尔·盖茨的"可怕"，在于他的胃口极大，想鲸吞所有的竞争者。

有人说："无论你爱他还是恨他，你都无法漠视他。"

还有人说："他对电脑软件的贡献，就像爱迪生对灯泡的贡献一样，集创新者、企业家、推销员的天才于一身。"

比尔·盖茨创办的微软公司，成为纵横天下的软件帝国。他统领开发的视窗（Windows），为全世界的个人电脑提供了一个奇妙无穷的窗口。

有专业人士评论说，微软虽然是雄霸天下的软件帝国，但它却没有一件真正属于自己原创的电脑软件。这的确是事实。令微软起家的 BASIC 语言，是达特茅斯学院两位电子专家约翰·克门尼和托马斯·克兹发明的；微软的摇钱树 MS-DOS 技术，是从西雅图计算机制造公司帕特森手里买来的（耍了点小计谋才获得 DOS 的所有权）；微软最值得骄傲的视窗，采用的是施乐和苹果公司的技术；互联网风行的浏览器 IE，也是借助网景公司的创意开发的产品。全球通行的文字处理软件 Word 则是 Wordstar、WordPerfect 的模仿……所有这些软件构成了微软的主打产品。而微软自己原创的一些软件，如 MSN、Bob、Slate、Park 等都没有取得成功。

用江湖话说这叫“吸星大法”，用时政语言讲这叫“拿来主义”——想想看，这不正是微软的高明和了不起之处吗？

比尔·盖茨本质上不是一个伟大的软件设计师，而是一位伟大的软件开发师，或者说是一个精通软件设计的伟大的商人。商人卖的畅销产品不一定都得自己发明生产吧。正如前面所说的，第一个发明蒸汽机的是英国人萨弗里，后来又出现了纽可门蒸汽机，但真正使蒸汽机变成人类动力的却功在瓦特。正是他做出分离冷凝器等一系列创新改造之后，蒸汽机才推广使用并最终导致了工业革命，人们因此公认瓦特是蒸汽机的发明人。

比尔·盖茨有两点最伟大的地方不容否认：第一，虽然他不是这些软件的原创者，但他是集大成者；他不是第一发明者，却是伟大的推广者。盖茨给人类带来了智慧，打开了通往信息时代的窗户，作为软件产业的卓越开拓者与领导者，他是当之无愧的。第二，像美国汽车大王福特一样，比尔·盖茨的产品大众化情结和市场化观念，使他获得了巨大成功。福特有一个梦想，就是生产一种设计简单的人人都能买得起的标准化大众车。他通过降低成本、标准化、批量生产等一系列措施，最后终于创造出奇迹——1913年生产出每辆价格仅500美元的T型汽车，两年后价格再次降至390美元。T型汽车投入市场后受到民众的欢迎，很快独霸天下。到1919年，全球超过半数的汽车都是福特产的T型汽车。传记《比尔·盖茨》作者李津称赞比尔·盖茨和福特一样，“把从前还是技术之谜的东西普及到大众，使最广大、最普遍的民众享受科技进步带来的福利。无论是福特T型车，还是微软的视窗及其前身MS-DOS，它们都不是最豪华、最高档的产品，而是按照大众的经济、文化条件能够接受的产品，福特和盖茨设法使它们普及，从而改变了整个产业和世界。”

正是比尔·盖茨加速了数学时代的到来，为人类迈入信息时代立下了功勋。

[智慧箴言]

世界不会在意你的自尊，人们看的只是你的成就。在你没有成就以前，切勿过分强调自尊。

——比尔·盖茨

（松鹰）

第八章 青年科技创新与创业的关系

在当今全球化一体化的知识经济时代，创业已经成为成千上万的年轻人追逐的梦想。在创业的道路上要想获得成功，就离不开创新，它是创业成功的重要因素之一。

一、创新与创业

先谈谈什么是创新。

创新是指从新的思想出发所开展的产品设计、试制、生产、营销和市场化等一系列行为。创新是科学、技术、教育和经济的融合，其重点是经济与技术的结合，其行为表现技术、体制、知识等不同层面。

创新这一概念是由奥地利经济学家熊彼特提出的。熊彼特认为“创新”就是“建立一种新的生产函数”，这种函数组合包括：生产新产品、新的生产方法、开拓新市场、开辟和利用原材料新的供应来源、实现工业新组织等。

现代管理大师彼得·德鲁克拓展了创新理论，他在《在动荡年代的管理》一书中指出创新是有系统地抛弃昨天，有系统地寻求创新机会，在市场薄弱的地方寻找机会，在新知识萌芽时期寻找机会，在市场的需求和短缺中寻找机会。德鲁克强调创新就是将新的构想，通过新产品、新工艺及新的服务方式，在市场中得到有效实现，并能够创造新价值的过程。创新既可以是产品（服务）创新，也可以是营销模式创新，还可以是企业组织制度创新。

创新还体现出 “创造”与“成功实施”的结合的特点。如 X 射线扫描仪，发明者是 EMI（英国 EMI 公司），商业成功者是 GE（通用电气公司）。又如家用录像机，发明者是索尼，商业成功者是松下。

创新的种类主要有技术创新和产品创新两种。从创新过程来看，创新也可分为：技术推动型，即先将研发成果变成产品，再通过市场营销变成消费者需要的商品；需求拉动型，即市场需求—销售—发明—制造—生产。

创新的核心：一是创造，即创造新的价值、财富；二是改变或变革，促使资源产出的增加。

创新的原则：应当从分析机会开始、走出去、简单、明确、具体、建立领先地位；同时还要明确不要精巧、不要分散力量、不要为将来搞创新。

创新的条件：创新就是工作、依靠自己的力量、以市场为动力。

一说到创新，我们都会想到发明一种新技术，拿下一个专利。其实只要换个角度，创新随时会在身边出现。创新其实不神秘，在某种意义上还挺简单。如一个极其普通的拉链，只需换一个思路就会产生一个新产品，出现一个新市场。把拉链翻一面，会看见什么？大多数人觉得这个问题很普通，但这恰恰是隐形拉链的基本原理。这种拉链将金属链条隐藏在衣服背面，而衣服正面却看不见链条，用在女孩的服装上非常受欢迎，很有市场空间。又如把拉链放大到普通拉链的几倍用在背包上，一款带有大拉链的背包就诞生了。许多人看到这款大拉链的背包，觉得很特别，虽然在价格上比普通拉链的背包贵几倍，但销量却大增。这个故事说明新思路可以成就大市场，创新要从分析机会开始，要体现简单、明确、具体，要建立领先地位。同时创新也不要分散力量。

再谈谈创业。

创业是创业者通过对市场必要的调研分析，及时发现与把握商业机会，通过创建企业或对企业组织结构进行创新，努力筹集并配置各种资源，将新颖的产品或服务推向市场，从而最终创造个人价值和社会价值的一系列活动或过程。创业是一个跨学科、多层面的复杂现象，必须依赖于一定的组织、体制、制度作为基础。

熊彼特认为，创业是实现创新的过程。

荣斯戴特认为，创业是创造增长的财富的动态过程。

史蒂文森认为，创业是不拘泥于当时掌握资源的限制而追踪和捕获机会的过程。

萨伊认为，创业即是把生产要素组合起来的过程。

创业的构成要素：创业者、创业机会、组织、资源。

创业活动表现：创造出有价值的新事物的过程、需要贡献必要的时间、面临较多的机会和风险，满足社会需要的同时获得相应回报。

创业的过程：识别和评价创业机会；拟订创业计划；确定和获取创业资源；管理成长中的企业；收获创业价值。

创业的分类：按新建企业建立的渠道分为独立创业、脱离母体创业、企业内创业；按创业周期分为初始创业、二次创业、连续创业。

创业理论的基本观点：

（1）创业在本质上是一种创新活动；

（2）创业是一种高风险的活动；

（3）创业活动是在企业管理过程中实现的；

（4）创业利润的三个来源：即对于创新的回报、对于风险的补偿和对于企业高效管理和运作的回报。

创业的特征：创业作为现代社会经济活动的一种基本方式，有着其固有的一些特征，这些特征概括地说，就是具有相对于其他经济活动而言的更多、更为显著的社会性、关于创新和创业的关系，熊彼特认为，创新是生产要素和生产条件的一种从未有过的新组合，这种“新组合”能够产生超额利润或潜在的超额利润。而创业则是主体的一种能动的、开创性的实践活动，创业是一个从无到有的实践，从本质上体现着创新的特质。从创新和创业的这些本质内涵来看，两者的性质有着一致性和关联性。

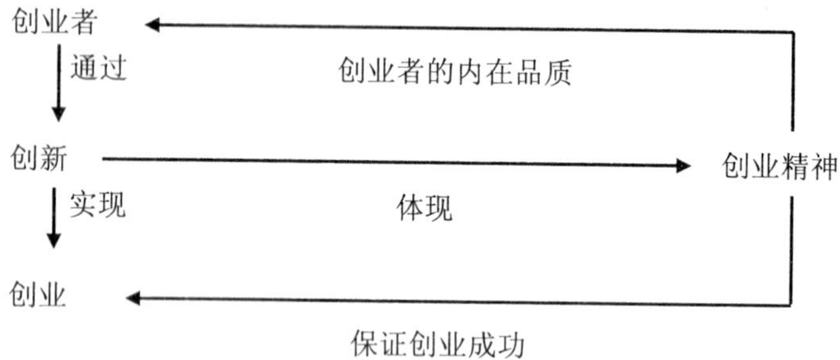

创新是创业的基础。创业者在创业过程中需要具有持续旺盛的创新意识，才可能产生富有创意的想法或方案，才可能不断寻求新的模式、新的出路，最终获得创业成功。

创业推动着创新。创新的成效，只有通过未来的创业实践来检验。

创业是创新的载体和表现形式，创业的成败根本依仗创新教育的根基扎实程度。

创新是对人的发展总体的把握，创业着重的是对人的价值的具体体现。

由此可见，创新与创业是相互联系、相互促进的，创新是创业的基础，创业推动着创新。

[智慧箴言]

新的想法经常会受到质疑，甚至被反对，其中并没有什么特殊原因，无非是因为它们超凡脱俗，不同寻常而已。

——约翰·洛克

二、科学技术是创新与创业的基础

在新的世纪，科学和技术已成为先进文化的重要组成部分，也是衡量一个国家综合国力的核心因素之一。今天，我们不但看到了科学在不断地深化、技术在日新月异地发展，也看到了经济在发生新的革命、社会在发生新的转型。创新与创业要取得成功，首先要更新观念。

创新与创业需要科学技术，这是大家共同的认识。科学技术与创新创业的关系就如同根与茎的关系。形象地讲，科学技术就像植物的根，创新创业就好似植物的茎，有根才有茎，有茎根才壮。

1831 年，英国科学家法拉第在实验室里经过十年的奋斗，终于在奥斯特发现电生磁的基础上找到了磁生电的基本原理。1866 年，德国西门子公司西门子运用这个原理，在科学的指导下，少走了许多弯路、错路，发明了自激式的直流发电机。紧接着 1876 年贝尔发明了电话，1879 年爱迪生

发明了电灯，1889 年美国威斯汀豪斯发明了交流输电，使电能实现了远距离输送，从此把人类带进了电气时代。由此可以看到科学技术与创新创业的关系。

什么是“科学”？什么是“技术”呢？

1. 科学

科学，包括科学知识、科学方法、科学思想和科学观念。在科学的领域里，自然科学和社会科学是相互影响、相互关联的。自然科学离开了社会科学就会失去方向、失去思想，而社会科学离开了自然科学就会失去动力、失去标准。我们这里所谈到的科学主要是指自然科学。

科学是有自身的规律的，主要体现在以下几方面：

（1）科学发现的主要场所是大学。众所周知，1901—2004 年世界诺贝尔科学奖获得者中，大学教授约占总数的 78%。大学为何能吸引如此众多的世界第一流科学家？其重要原因在于，大学有自由的学术研究气氛以及多种多样的文化和物质环境。大学促进了科学的独立，促进了科学和科学家角色的诞生，促进了科学的职业化和科学研究的建制化，培养了大批极有探索精神的科学家。

（2）科学发展所需要的是自由、开放、宽松的社会环境。科学发现需要科学工作者具有良好的素质，尤其是永无止境的好奇心、有根据而无顾忌的怀疑精神。培育这种素质的环境仅仅局限在实验室是不够的，还需要整个社会具有这样的气氛、文化背景，以及在这种环境中培育出来的开拓、开放、求新求异的欲望和价值观念。

（3）科学遵循的机制是政府出资支持，科学家自主研究，科学共同体评价认可。在政府出资方面，发达国家体现得尤为明显。例如，欧盟的 R&D（研究与开发）预算在 2013 年已在以前每年 100 亿欧元的基础上翻一番；对英国来说，R&D 的总投入(民用)也已从 2004 年的 165 亿英镑增加到 2014 年的 225 亿英镑(以 2004 年为基准)，增长幅度达 36%，R&D 经费占 GDP 的比例从以前的 1.9% 增加到 2014 年的 2.5%。美国 2005 财年 R&D 预算达 1 318.6 亿美元，占联邦所有自由决定费用的 13.5%，是 37 年来最高的比例。

科学成果的评价则遵循由科学共同体按照普遍性规范和非个人标准的原则来评价认可，而不是以性别、出身、地位、名望、政治态度等作为附加条件和价值标准来评价科学成果。

（4）科学始于好奇。科学本身不直接产生经济效益，科学的任务是揭示事物的“真相”和“原理”，发现规律，认识世界。科学原理要应用于技术、实践，才能促进经济发展。

（5）科学成果属于全人类。

2. 技术

技术是根据生产实践或科学原理而发展成的各种工艺操

作方法和技能，以及相应的材料、设备、工艺流程等等。技术也有其自身的规律，主要体现在以下几方面：

（1）技术是一种变革世界的能力。

（2）技术有明确的应用目的。

（3）技术发展所需要的社会环境是市场，市场是推动技术进步的力量。纵观人类社会的发展历史，我们可以看到，技术的每一次革命，都和市场经济的发展有着密切的关系。比如，蒸汽机的出现，是由于当时英国市场经济的兴起，促使英国开始向海外发展，导致纺织品的需求增加，推动了纺织机的发明，而纺织机的发明，又对动力提出了新的需求，从而导致蒸汽机的发明。如果没有市场经济的兴起，或许蒸汽机今天还没有被发明，也或许发明了却主要作为小孩的玩具，再或者仅仅放在博物馆里供展览。

（4）技术发明的主要场所是企业，技术以企业为主体。一个多世纪以来，改变了人类生活的重大技术发明，除第一代电子计算机，因为战争的需要，是宾夕法尼亚大学的两位工程师发明的以外，其余几乎全部出自公司。事实说明，企业是技术发明和技术开发的主体。我国不少地区目前还是科研为一摊、工厂为一摊的管理机制，技术与市场脱节，这就造成了在技术转化为生产力的过程中出现过渡搭桥慢、技术转化为产品进入市场慢的局面，导致技术在转化为生产力时事倍功半的结果。美国人说："美国的事业是企业。"日本人说："日本是企业社会。"著名管理学家德鲁克说："1900年以来，公司改变了世界经济。"

（5）人才是技术的核心。在技术领域里，人才是核心。钱学森教授在1982年说过这样一段话："我在美国待了20多年，对美国还是有所了解的，难道美国的资本家就那么爱科学家吗？我看不一定，但是有一条，美国的工厂离开了科学家它就要倒闭。所以他们把科学家当宝贝。"

（6）技术遵循的运行机制是市场机制。关于技术遵循市场机制，这里有一个有趣的故事。爱迪生电器照明公司应市场的需要，发明了电灯。但是，爱迪生却千方百计地阻止交流输电技术的发明和推广。当然，市场的力量远远大于这位发明家权威的力量。结果是发明交流输电技术的威斯汀豪斯在市场竞争中，打败了爱迪生电器照明公司，乃至于董事会把爱迪生的名字取消了，从此爱迪生电器照明公司的名字变成现在的通用电气公司。

（7）技术有专利。

3. 科学技术与创新创业的关系

科学技术与创新创业的关系形象地讲就像植物的"根"与"茎"的关系：

科学技术—创新—创业—转化技术成果—形成市场

根—茎—叶—花—果

[智慧箴言]

民主是科学发展的力量，市场是技术进步的动力。

——袁正光

三、观念更新是创新与创业的核心

科学从理性的角度创立了人文观念，人文从文学和艺术这种情感的角度把人文观念渗透到人类的灵魂之中。科学文化和人文文化组成了现代文化。创新创业需要现代文化的支撑，因此转变观念就显得尤为重要。

五千多年来，人类为什么始终在农业社会缓慢爬行，而到了最近的两三百年，尤其是最近的几十年，特别是最近的十几年，却以超级加速度迅猛发展？原因有诸多的，但是其中一个很重要的原因，就是三百年以前，人类做什么事情是凭经验盲目地进行生产，然后在漫长的生产实践经验当中，提炼出技术，然后再在改进技术的过程当中，产生科学，其遵循的是凭经验出发，即“生产→技术→科学”这样一个模式，此模式沿用了漫长的几千年。但是到了近代科学诞生以后，人类发生了一个巨大的变革，那就是干什么事情首先从科学研究出发，先在实验室里边，发现事物的真相和原理，揭示规律，然后运用这个原理从事于这个发明技术，然后再转化为现实的生产力。所遵循的是“科学→技术→生产”这样一个模式。人类社会迅猛发展，就此进入了理性社会。

约翰·洛克比牛顿大10岁，是牛顿的好朋友，深受从哥白尼到牛顿所产生的这个规律意识的影响。他想，看起来混乱的人类社会，会不会也像自然界那样如此有规律可循呢？经过研究，他认为人类社会之所以混乱不堪，不是因为没有规律，而是因为规律没有被遵循。人类社会的规律之所以没有被遵循，是长期以来，人们仍然建立在一个以君王为中心的传统观念上。因此，约翰·洛克就如同哥白尼、牛顿把地心说颠倒过来建立日心说一样，他要把颠倒的君本位颠倒过来，建立人本位的伟大学说。于是，洛克提出了人是社会的中心，人的利益是治理社会的基础的观点。到了18世纪，另一位伟大的思想家，市场经济理论的鼻祖、创始人亚当·斯密，继约翰·洛克之后，又有一个伟大的发现，即个人利益是每一个人的利益，正因为个人利益是每个人的，不是某一个的，所以任何一个人都只有去满足他人的个人利益，才能获得自己的个人利益。他从个人利益的良性循环的制约这一规律出发，提出了市场机制的这样一个思想：个人利益相互制约，能够形成良好的经济秩序，个人利益相互制约，能够有效地配置资源。到了20世纪的五六十年代，马斯洛进一步发现人的个人利益是多层次的，除了经济的利益、物质的利益，或者生存的利益，还有得到安全、得到爱、得到尊重、归属感乃至于自我价值的实现。这又是一个伟大的发现。所有的人跟动物不一样，是因为人有一个精神，有一个精神的世界。人本身除了物质的需求以外，有了一个精神的需求，最高层次的需求就是自我价值的实现。

科学并不代表一切，我们还要有人文思想。人文思想始终关心一个问题：就是人。尊重人、关心人、爱护人，就是把创造出来的东西，始终用于造福人类，而把它对人类的危害降低到最低程度。因此，在创新创业中，我们需要科学的动力，也需要人文的方向。

[智慧箴言]

科学给人以力量，人文给人以方向。

——袁正光

四、创业与圆梦

雷军的第一次创业是他还在武汉大学读书的时候，那时候雷军和他的朋友四个人开了一家公司。没有经验，没有资源，没有客户。公司做仿制汉卡，结果不久连技术都被人盗用。团队吃饭都成了问题，而最麻烦的是四个人股份一样，遇到问题到底听谁的呢？雷军最后提出散伙，这是他第一次失败的创业经历。1996 年，微软进入中国市场，发布了 Office 中文版。而当时金山是中国民资软件的旗帜性企业，主打 WPS（一款办公软件套装）。一夜之间，金山前有微软，后有盗版。何去何从，如何抉择？27 岁的雷军做出一个悲壮的决定——坚持 WPS。从此金山的词霸、毒霸、游戏，所有都是为了赚钱养活 WPS 团队。雷军说：“1998 年腾讯创业，1999 年李彦宏创办百度，1999 年末阿里巴巴创业。金山坚持 WPS，但却错过了整个互联网。”而金山后来所有的艰难痛苦，都跟这个决定密不可分。2007 年金山上市，雷军以“身体原因”宣布退休。雷军一直很内疚，因为坚持 WPS 那个决定是他自己 10 多年前作出来的。反复思量后，雷军意识到，他当年的那个决定叫作“不顺势”，顺势就应该做互联网。可是当时输了不服气，要扳回来，所以才会有那个决定。2011 年，做了多年天使投资人的雷军，也是年过 40 岁的雷军复出创办小米科技震动江湖。雷军在小米三年的成功颠覆了所有人的认知。雷军的成功是因为他过去 10 多年经验、资源、人脉积累的一个大爆发。金山在互联网上的后知后觉让他很希望能做点事情。卓越网给了他第一个成功的奠基石，多年的天使投资人经历让他比任何人都能在一个非常高的高度去理解互联网行业发展和行业资源整合，因此一旦做小米，自然一发不可收拾。

从这个故事我们可以看到，项目可以失败，但人生不能轻易言败。善于在低谷积累资源，积蓄能量，然后顺势而为，待机而发，终究能圆梦。美国硅谷的无数成功创业者如此，中国亦然。

［智慧箴言］

没有人可以永久地保持核心竞争力，必须不断地创新，持续地创新，以走在竞争对手前面。21 世纪，企业唯一重要的事情就是创新！

——许小年

（宫健）

第九章　青年科技创新与失败

俗话说，失败是成功之母，世界上哪有不经历失败的成功呢？黑格尔说，只有永远躺在泥坑里的人，才不会再掉进坑里。不管是科学发现，还是企业发展，成功的道路都是磕磕绊绊，充满艰难险阻的。失败并不可怕，可怕的是因失败而丧失了斗志，丧失了对成功的渴望。历史上有无数令人惊艳的成功，这些成功都无不经历过无数的失败。

一、没有不经历失败的成功

第十六任美国总统林肯，安定了美国的内战，基本废除了奴隶制度，在维护国家完整与谋求人人平等等方面做出了巨大贡献，堪称是世界上最有名也是最伟大的总统之一。林肯的家乡至今自称“林肯之州”，在美国，每年二月的第三个星期一是“总统节”，专门纪念华盛顿和林肯，美国人还为林肯建立了纪念堂和大量塑像，以纪念林肯，但是，你知道林肯早年的经历么？

林肯在当选总统之前的生涯，简直就是“不幸”二字的真实写照。在他很小的时候，他的父亲两次用尽积蓄购置土地，然而这两块土地都在不久之后陷入了法律纠纷，并且两次林肯的父亲都输掉了官司，土地被判归他人所有。林肯7岁的时候，全家被赶出居住地。林肯9岁的时候，他的母亲去世了。由于种种原因，林肯仅仅接受了一年半非正式的教育，就被迫停止读书。成年之后，林肯先去给别人打工，总计被雇主辞退了11次。然后林肯试图去经商，不到一年就破产了，和他合伙的朋友也死了。然后竞选州议员失败，报考法律学校落榜。之后他又向朋友借钱经商，可也在一年之内不幸破产……当他试图用爱情来弥补内心的创伤的时候，在订婚之后，即将结婚之前，未婚妻却病逝了。林肯情绪低落，最终精神崩溃，在家里卧床休息了半年才恢复正常。然后参加国会大选，自荐土地局长，竞选参议员……从来没有一次成功过，竞选国会议员甚至失败了三次。在他政治生涯中，最失败的一次，是在“副总统提名”的资格竞选中，得票还不到100张。

终于，林肯在51年的悲惨生活之后，终于当选了美国总统。然后带领美国政府，取得了南北战争的胜利，颁布了《解放黑奴宣言》，成功连任总统……似乎前半个世纪的幸运都被人挪到了他生命的最后5年一样。

林肯在他生命的前50年，尽管饱受折磨，甚至一度精神崩溃，但他的心从来都没有被失败打垮，他的斗志也从来没有被失败击溃。每次被命运所戏弄、打倒，林肯都能再一次站起来，因为他深深地知道，成功之前必然有失败，成功的道路上从来都不缺少荆棘。然而能打倒自己的永远都不是路上的险阻，而只能是自己。只要自己不放弃，就终有一天能成功。他要是在其中任何一次失败之后自暴自弃，放弃努力，那就不会再有今后的美国总统林肯，不会有《解放黑奴宣言》，也不会有美国在其后百年的崛起。

这样的例子还有很多。施力华是泰国商人，曾经资产以亿万计。然而在1997年的金融危机中，风云突变，他破产了，变得一文不名。可他没有放弃，相反，只是云淡风轻地笑着说："好啊！这样我就又可以重新再来了！"施力华平静地走上泰国的街头，成为一名路边摊小贩，叫卖三明治。一年后，他带着叫卖三明治所挣得的资金，重新投入商界，最终东山再起。大作家托马斯·卡莱尔的一部辛辛苦苦写了很久的手稿，竟然被女仆当作废纸，拿去烧火做饭了。可想而知卡莱尔发现后心中的愤怒。他确实严厉地处罚了那名女仆，但他并没有悲观绝望，而是开始逐字逐句地回忆原文，并把这当作一次修改润色的过程。最终，卡莱尔以更加出色的文字将书重新完成了！一部熠熠生辉的巨著就这样涅槃重生，这就是闻名世界的《法国大革命》。

比起这些伟人的经历，我们经历过的挫折又算得了什么呢？我们可以问问自己，若是换成你去遭遇那些伟人的经历，

你能坚持下来么？在经历失败之时，亦可以问问自己，若是他们陷入了你的境地，他们会轻言放弃么？失败是成功的必由之路，没有不经历失败的成功。只要你不为失败而丧失了信心，成功终将到来。

[智慧箴言]

天将降大任于斯人也，必先苦其心志，劳其筋骨，饿其体肤，空乏其身，行拂乱其所为，所以动心忍性，曾益其所不能。

——孟子

二、向失败学习

有人觉得“失败”两个字，一听就令人沮丧，很没有面子，恨不得把自己所有失败的经历掩盖，对失败绝口不提；有的人觉得，是种种意外因素导致了自己的失败，是自己的坏运气使然；还有的人觉得哪怕一次失败，都是对自己的否定……其实，所谓“知耻近乎勇”，我们只有具有了正视失败的勇气，才能算是为成功做好了准备。而失败之中，往往也饱含着经验教训。做大事业的人，不会试图把失败当作不存在，亦不会怨天尤人，抱怨自己的坏运气，不会给自己找一些借口来为自己开脱，更不会因失败而丧失信心。相反，他一定会微笑而诚恳地看着自己曾经那些失败的经历，或者用它们来激励自己奋发向上，并努力从中汲取经验教训，进而取得成功。

爱迪生的例子，相信大家不会陌生。这位伟大的发明家用他大大小小 1 300 多项发明“彻底变革了文明”（美国国会语）。爱迪生从小时候在火车上做化学实验被列车长扔下火车，到开创“发明工厂”时受到的一些冷嘲热讽，再到进行发明创造时遇到的种种挫折——可以说，爱迪生的每一份成功背后，都有着无数的失败。但当别人问起，他在发明电灯时是如何从 1 000 多次失败中坚持下来的时候，他却回答道：“我从没有失败过，事实上，这些失败让我发现了 1 000 多种不适合做灯丝的材料。”正是这种对既坦然面对失败，又从失败中学习的态度，让爱迪生能在无数失败中披荆斩棘，做出了改变世界的种种发明创造。

美国从第二次世界大战之后到如今，可谓牢牢地霸占着军力世界第一的宝座。自越战之后，除了部分小规模的行动，美军几乎打赢了每一场战争。正是这样一支可以说是战无不胜的军队，在他们的研究中，谈论最多的却是失败：美军写了无数检讨越战失败的文章，几乎每个方面都被详细地从各种角度分析过，上至决策层的失误，下至作战时某分队的战术失误，无所不包。更值得我们学习的是，即使是在一场战争胜利后，美军的战报中，夸耀自己胜利的部分也是少之又少，而大部分都是在检讨那些出现过，甚至是“可能”

出现的问题。比如，在海湾战争胜利后，美军向国会提交了1 200多页的报告。可在这1 200多页的报告里，有1 000页都在分析这场战争中美军暴露出的种种问题及解决措施。伊拉克战争结束后，美军撰写了《伊拉克战争经验教训报告》，其中大量篇幅在检讨作战思想的适用性和多军兵种联合作战中存在的问题。美国刚打赢科索沃战争，就有人出版了一份叫《无序的战争》的研究报告，称美军和盟军在作战中指挥混乱，并试图分析其原因。正是这种重视失败，重视自己缺陷的态度，帮助美国稳固了军力世界第一的位置，并更好地推动了美军的创新和改革。

而若是不能从失败中汲取经验教训，试图逃避失败，则会更易引人走向失败。美国福特汽车公司的创始人亨利·福特，依靠杰出的管理专家和机械专家以及对员工福利和发明创新的重视，使福特成为世界上最大的汽车公司。然而，福特公司也险些毁在缔造了它的人手上：成功后的老福特，渐渐听不进别人的意见，变得独断专行，一切命令他都要亲自过问批准，造成公司管理的极度混乱。由于职务的任命都取决于老福特的一己好恶，使得一度在公司担任高级职员的500余人中竟没有一名大学毕业生。这种情况让福特公司众叛亲离，经营状况每况愈下，设备、厂房陈旧，无人过问技术更新，财务报表像杂货店账本一样原始，甚至早已死亡的职工名字还列在工资单上。1929年，福特在美国汽车市场的占有率为 31.3%，而到了 1940 年，竟跌至 18.9%。后来，福特的孙子、艾兹尔·福特的儿子，亨利·福特二世临危受命，重新聘用了一批精英。由于亨利·福特二世的卓越才华和不懈努力，终于使福特公司起死回生，达到了新的高峰。然而，福特二世对家族曾经的失败讳莫如深，为爷爷找了许多理由开脱，并憎恶任何提到这段历史的人——福特二世取得成功之后，就重蹈了他爷爷的覆辙，更加独断专行，更加刚愎自用。一次福特二世因意见不合，一时冲动，解雇了高管艾科卡，结果在 18 天后，艾科卡入主濒临倒闭的克莱斯勒公司，凭着一己之力，只手补天，让克莱斯勒起死回生，重现辉煌，成为福特公司的强大竞争对手。最后，福特二世被迫辞去了董事长的职务，结束了福特家族 77 年的统治历史，才得以保全公司。

爱迪生坦然面对失败，从失败中汲取经验，成为历史上最著名的发明家之一。美国军方重视失败，哪怕作战成功也要“吹毛求疵”，找出可能失败的因素加以分析修正，让它数十年间站在军力世界之巅。而福特二世虽然才华过人，力挽狂澜，却不能正视自己爷爷的失败，未能从中汲取教训，故而重蹈覆辙，使福特公司再度陷入危机。可见失败并非是什么需要人百般遮掩的黑历史，反而是帮助我们成功的最佳导师。诚然，失败是成功之母，可失败绝不止成功这一个儿子。在经历了挫折之后，是继续遭遇失败，还是逐步迈向成功，这一切都取决于我们对待失败的态度。

[智慧箴言]

失败也是我需要的，它与成功对我一样有价值。

——爱迪生

三、失败中隐藏着成功

在通往成功的道路上，总会遇到许许多多的失败。这些失败并不仅仅是“不成功”的尝试，而且更重要的是，在无数次的尝试中，我们遇到了各种情况，采取了各种应对手段。尽管当时的路没有走通，但是，成功的方法，很可能就藏在这一次次的尝试之中。有时候，在我们一筹莫展的时候，不妨回顾一下我们曾经的努力与结果，说不定，被我们忽视的财富，就静静地埋藏在其中。

青霉素，是人类历史上最伟大的医学发现之一。由于青霉素的问世以及在第二次世界大战的时候顺利投产并及时得到推广，使成千上万的人免于死亡。然而，在被发现和投入使用之前，青霉素遇到过两次险而又险的危机。一次，差点被当作垃圾冲进马桶，一次也是被当作失败的样品，在杂物架上搁置了十年，差点被人遗忘。

发现青霉素的，是英国细菌学家弗莱明。那是 1928 年的夏天，弗莱明沮丧地发现，由于天气潮湿炎热，空气中充满着各式各样的孢子，他保存在实验室的许多细菌培养皿都长霉了。显然，不管以前培养皿中培养了些什么，都不能再继续用于实验了。弗莱明十分懊悔自己的疏忽，觉得浪费了许多时间。不过夏天培养皿长霉，也并不是什么令人意外的事情，于是弗莱明决定把这些失败品码放在水盆里，用消毒水清洗它们，以便重新进行细菌培养。就在弗莱明准备往盆子里倒入消毒水的时候，他又心血来潮地把这些作废的发霉培养皿重新翻检了一遍。就在这次检查中，弗莱明发现了一个小小的异常。在一个培养黄色葡萄球菌的培养皿中，有一大半地方都被青绿色的霉菌覆盖了，看上去好不恶心。然而，就在靠近霉菌的地方，有少量透明的地带——葡萄球菌的菌落应该是黄色的，这片透明地带意味着，这里的葡萄球菌因什么原因消失了。弗莱明想了想，还是把这个培养皿放回了架子上，打算有时间的时候研究研究。他还将这个培养皿上的霉菌分了一点出去，送给了其他实验室。

不过，弗莱明和他的同事们研究发现，似乎确实是这种霉菌产生的一种奇异物质杀死了葡萄球菌，且对许多其他细菌也有效。然而，他们完全无法将这种物质提纯出来，更没办法对它进行更进一步的成分分析和效果检测，也就完全无法将其投入生产，制成药物。很快，他们都放弃了对这种物质的研究，将这种物质的样品放到了实验室的角落，只是偶尔将其作为消毒水的添加剂或者替代品来使用。

这一放就是10年。到了1938年，当弗莱明和他的英国同行们就要遗忘了这件事的时候，两位来自英国以外的细菌学家，强恩和弗洛里，在牛津查阅科普文献的时候，偶然在抗菌剂的资料中找到了10年前关于这种物质的描述。他们这才想起，似乎在十年前，弗莱明也送过他们一株这种物质的样本，而且似乎一直被放在实验室。他们立刻回去检查，发现这一株物质，即青霉菌正安静地茁壮成长着！经过后来的技术突破，他们掌握了如何提纯青霉素并大规模生产的方法。能够提纯青霉素，他们就能进一步进行定量实验，而能够大规模生产，则更使得他们能够做足够多的实验。再加上第二次世界大战的爆发，美国对这个项目表示了支持。最终这个青霉素的研究被转移到相对更安全的地方——美国继续进行。

青霉素的发现，还牵动了全球科学家的目光，研究抗菌剂的人们纷纷把注意力投向真菌。许多抗生素因此而被发现。从此，各种由细菌引起的传染病的死亡率急剧降低，白喉的死亡率甚至下降了90%还多。就在青霉素及其他抗生素出现以前，传染病是人类死亡的最主要原因。而在青霉素出现以后，似乎大多数传染病都不再是威胁了。

在研究青霉素的过程中，它曾两度差点被当作失败品——从某种意义上说，它确实也是失败品——第一次，如果不是弗莱明重新检查了一遍这些发霉的东西，还心血来潮地保留了其中之一的话，它们已经混着消毒水，冲进臭水沟了。而第二次，事实上青霉菌已经被人们遗忘了，如果不是两位学者到牛津去翻查文献，还凑巧看到了关于青霉素的描述，他们的实验室又在十年前恰好蒙弗莱明赠送了样本的话，可能青霉素永远不会变成药物。

而如果这两次中的任何一次的主角，轻易地把青霉菌的污染或者青霉素的无法提纯当作一次简单的失败的话，将有无数的人因此死去，抗生素可能也永远不会问世——事实上，现在我们使用的青霉菌，就是当年青霉菌的其中一株繁衍出的后代。而弗莱明的青霉素除了在实验室里，也没能在别的地方成功繁育。因此，我们要重视我们经历的每一次失败，在失败或者疑似失败之后，也最好回过头来多想想，在这个失败的过程中，有没有某些闪光的地方。即使不能从中立刻看到成功之门，也一定能学到一些能帮助自己取得成就的东西。

[智慧箴言]

如果我们过于爽快地承认失败，就可能使自己发觉不了我们非常接近于正确。

——卡尔·波普尔

四、失败只是相对的

所谓失败，即是没有成功地达到某个目标，或者没能满

足某个要求。然而，世界上并非只有一个目标，也并非只有一种价值。当然，也不会有从任何角度来看，都一无是处的尝试。一次次的尝试，可能始终无法达到我们预期的目的。可正是在这一次次的尝试中，或许就有些新的东西，悄然萌发了。所谓“无心插柳柳成荫”，有些在某一领域的失败，只要我们稍加留意，说不定悄然之间，就化为了其他领域的成功。

合成染料的发现，就来自一次药物实验的失败。威廉·亨利·帕金是英国化学家，他小时候非常聪明，15 岁就进入了英国皇家化学学院学习。因为表现出众，他以学生的身份被任命为校长的实验室助手。从此他白天学习、工作，晚上就自己在实验室做实验。一开始，帕金想合成的东西和染料毫不搭边——他最初是想合成一种治疗疟疾的特效药“奎宁”，一种白色粉末状的物质。因为奎宁本身只能从南美的金鸡纳树的树皮中提取，疗效很好却获取不易。欧洲与南美相隔又是如此遥远，欧洲的奎宁已是价格极其昂贵，但还是供不应求，所以帕金想找到人工合成奎宁的方法。帕金尝试用与奎宁结构相似的有机物进行各种化学反应，但是都得不到他想要的奎宁。有一次，他在苯胺中加入了重铬酸钾，结果得到了黑乎乎的沉淀。这显然与“白色粉末”毫不搭边，他又一次失败了。不过他并没立刻将它们倒进下水道——并不是他不想把这些恶心的黑色有机物给倒掉，而是它们黏糊糊的，像沥青一样，沾满了容器壁，用水根本洗不掉。帕金想到，有机物确实很多都不溶于水，但是大多都能溶于酒精。于是他尝试着在容器里加入酒精。结果，令人惊讶的事情发生了：恶心的黑色软泥消失了，取而代之的是散发着鲜亮紫色的液体！帕金很喜欢这种颜色，他尝试着用它去给一些边角布料染色，结果令人惊讶：这些被染色的布料无论是用肥皂使劲清洗，还是放在阳光下暴晒十多天，都没有褪色。帕金由于并不了解染料的相关知识，于是他选了一点被染色的绸子、棉布，寄给了一家著名的染料公司。不多久，公司回信了，给了这种染料极高评价。于是帕金果断申请了专利，并直接从皇家化学学院辍学，全心全意地去生产他的紫色染料——很快，他的染料就在英国掀起了一阵流行风潮，连女王都特别喜欢这种颜色。20多岁的帕金一跃成了百万富翁。

与此相类似的，还有梅毒特效药的发现。这种药物实际上，只是一个针对锥体虫的药物实验的失败样品。19世纪末，德国生物化学家埃里希，想到了一种合成药物的新思路：他发现，有些染色剂只会对特定种类的细菌或细胞染色。他想，是否能找到这样一种“染料”，只与有害的细菌发生作用，而不伤害人体的别的细胞。他一开始找到了一种叫“锥虫红”的染料，可以给锥体虫染色，并且杀死一部分锥体虫，而不和健康的人体细胞反应。不过如果把这种染料当作药物来使用，效果还不够理想。埃里希猜想，可能是锥虫红里面的氮

元素影响了锥体虫的生命活动，那把氮换成和它同族，但毒性大得多的砷元素，能否有效果呢？于是他发动他实验室里的手下和同行，打算尝试所有他们能想到的含砷化合物。不过，他们尝试了几百种化合物，发现都对锥体虫效果不大。当他们继续这方面的试验的时候，一位和他有过合作关系的研究者秦佐八郎，在检查砷化物的特性的时候，偶然用到了埃里希他们的第606号样品。出乎所有人的意料：606号样品虽然对锥体虫没什么作用，却意外地对引起梅毒的一种螺旋杆菌有奇效！不过与上一个例子中的帕金不同，埃里希并没有打算从这种药物上获益，而是将它分发给了世界各地的医生。这种药物的发现，不仅使梅毒得到了控制，更重要的，这标志着一种新的药剂类型问世：人们能够自己合成出针对某种疾病的特效药，而对人类本身却没有特别强的副作用。

苯胺紫和梅毒特效药的发现，可以说都是源于失败——合成奎宁的失败品和对锥体虫毫无杀伤力的药物。然而，正是被放到了另一个领域中，便立刻变成了成功的例子。不过，你可千万别觉得这只是主人公的好运气，偶然撞到了这么一个大发现——事实上，苯胺紫的发现和帕金的细心是分不开的，因为他没有将它倒进下水道，而是敏锐地用它来染色。而梅毒特效药的发现，看上去只是一次偶然，但是，所谓的606号样品，并不是第606次实验用到的药品——虽然600多次实验已经不少了——事实上，埃里希对每种样品，都做

了很多次实验。606 号样品背后，有着两三千次的反复实验与不懈努力，并且在失败了这么多次之后，还在坚持继续实验，直到 606 号样品被再次发现。正是因为他们的细心与坚毅，他们原本的失败，才能等到柳暗花明的那一刻，在别的领域绽放光彩。

[智慧箴言]

每一种挫折或不利的突变，是带着同样或较大的有利的种子。

——爱默生

五、没人能向你宣判失败

纵观数千年人类历史，一个新奇的理论、思想或发明被提出之后，往往是被立即认可的少，被世人所忽视的多。它们或是因为违反“常识”，或是因为冲击了“主流”观念，甚至有时仅仅是来自权威声音的反对……不过，这些一定都只是暂时的，没有能永远阻挡阳光的雾霾，也没有永远不被人认同的成就。如果你相信自己，那就不要理会他人“失败”的判决。

轮船的发明者罗伯特·富尔顿，就曾遭到人们的耻笑和当权者的拒绝。富尔顿是美国人，在 20 岁左右就前往欧洲游历。作为一个远赴重洋的美国人，富尔顿深深地感受到了

帆船航行的不便，一直都有创造一种不需要风帆就能航行的船只的梦想。而在英国，他结识了改良蒸汽机的著名工程师瓦特，见识了蒸汽机的巨大威能后便萌发了使用蒸汽驱动船只的想法。经过十多年的努力，他确实成功地设计并制造出了由蒸汽驱动的船只。然而，当富尔顿在巴黎的塞纳河上，试验他的世界上第一艘蒸汽轮船时，却受到了巴黎民众无情的嘲笑：有人嘲笑这艘船丑陋的外表和巨大的声音，有人质疑没有风帆的船是否真能长距离航行，甚至还有人当面指着蒸汽船对富尔顿说："它应该被叫作富尔顿的蠢东西！"还真没让巴黎的百姓"失望"，富尔顿的蒸汽船的第一次航行并不顺利，走走停停，没走一会儿干脆熄火了。围观群众嘲笑得更起劲了。

富尔顿并不气馁，他相信自己的设想，但他已经没有资金继续他的研究了。这时，他想到了已经横扫了半个欧洲大陆的法兰西皇帝拿破仑。拿破仑当时正谋划着越过英吉利海峡，对英国发起进攻。拿破仑想使用船队在英国本土登陆，然而英国的海上实力可谓世界第一，海峡的气候也不适宜突袭登陆作战。富尔顿就想向拿破仑推销他的发明，想为拿破仑建立一支"不需要风帆的钢铁船队"。然而，拿破仑一不相信钢铁做的船能在风浪中航行，二不相信没有风帆的船能够行驶，所以断然拒绝了富尔顿。就在一年后，拿破仑调动了 1 300 多艘帆船，想趁着夜色强行登陆英国。然而，还没等到与英国人交火，这浩浩荡荡的船队就被风浪所击垮，几乎全军覆没。如果拿破仑当初采纳了富尔顿的建议，历史肯定将被改写。

遭到拒绝的富尔顿并没有动摇自己的信心。在接受了一些来自美国的资助后，富尔顿回到了美国，继续他的试验。在短短 4 年之后，在经历了多次试航失败之后，依旧在人们怀疑和嘲笑的目光中，富尔顿的“克莱蒙特”号终于在美国纽约试航成功！“富尔顿的蠢物”正以每小时 9 千米的速度破浪前进！然而在此之前，取笑富尔顿的人不计其数，没有人对此抱有信心。在这之后，富尔顿的名字传遍了美国和欧洲，被誉为“轮船之父”。美国人还把他的故乡命名为“富尔顿县”，用来纪念他的杰出贡献。

元素周期律的发现过程，更能体现人们是多么容易去反对一个新奇的点子的。

我们都知道，元素周期表是门捷列夫首创的。然而门捷列夫提出元素周期律时，却很少有人认可他。还有其他一些试图总结元素规律的人，也有不少遭到了同行的嘲笑。当时，人们已知的元素已经多达五六十个，但是不同流派的化学家，往往采用不同的符号去表示化学元素：有的使用在拉丁文或母语中名称的缩写符号，有的使用古老的炼金术符号，有的干脆自创了一套奇怪的表达方式。这显然对化学家之间的交流造成了阻碍，元素间的规律也由于表达方式的混乱而

毫无端倪。尽管后来经过一些化学家的长时间努力，元素的表达渐渐规范，然而元素间的规律，还是不为人所知。化学家们各逞奇思妙想，提出了各种能在一定程度和一定范围内，表达部分元素间规律的理论。然而这些理论大多只能解释很小一部分元素的规律，而往往这些理论间又有矛盾之处。固执的化学家们往往因此互不认可，互相嘲弄，争论不休。比如第一个试图按照原子量排列元素的化学家纽朗兹，发现按照原子量排列元素时，元素往往 7 个一组，体现出某种规律性。然而当他在会议上展示自己的观点时，却有同行这样笑话他说："你要不要干脆按照拉丁字母给元素排个序，看看能不能发现什么？"门捷列夫提出元素周期律时，亦遭到了更猛烈的批评：可能由于他的大胡子和俄国国籍，有许多批评者把门捷列夫说成是"疯子""俄国巫师"，对他的理论也是极尽轻蔑。直到 6 年后，有人使用"分光计"这种新问世的工具发现了一种新元素，而这种新元素正是门捷列夫所预言过的！其各种性质都与当初门捷列夫所描述的几乎一模一样。一夜之间，门捷列夫的元素周期律突然被人们重视起来。而在 4 年和 11 年后，又有两种门捷列夫曾依据元素周期律预言过的元素被发现了。至此，门捷列夫的工作终于成功地得到了世界的承认。

历史上有太多这样的故事，哥白尼的日心说、达尔文的进化论等等，都遭遇过不同程度的挫折和失败。门捷列夫和

富尔顿受到的嘲弄，还与上述两者不同，他的发明和理论甚至并没有丝毫与宗教观念、日常感受的冲突，可依旧被人们所否认，长达数年甚至十数年之久。由此可见，一个新发明或者新思想刚产生的时候，是多么容易遭遇世界的恶意。虽然这并不意味着，和我们观念相左的人都是充满恶意的，但是在我们面临他人的批评时，也不用立即改变自己的初衷，要理性地进行判断，有则改之，无则加勉。若是坚信自己的选择，就不用理会那些无理取闹，只需毫不迟疑地大步向前，一定能成功实现自己的信念。

[智慧箴言]

大多数人是保守的，不轻易相信新事物。

——卡莱尔

六、避免自身因素的失败

失败，确乎是有其价值的；失败，也确实是通往成功的必由之路。可是，并非所有失败都是必然的。由于我们自身在性格、态度、细节方面的种种原因，我们可能在奔向成功的道路上，走了许多弯路，甚至永远都无法达到终点。在正视失败，向失败学习之外，我们还应该多多审视自己，完善自己的性格与态度，改正自己的缺点和不足，尽量减少那些完全可以避免的失败。这样，可以帮助我们更快更好地取得

成功。

有些失败，源于目光短浅，不能抓住机会。个人微机操作系统的真正发明人并非比尔·盖茨，而是一个默默无名的人物，加里·基尔达尔。他于20世纪70年代初发明了第一个称为CP/M的微机操作系统，创建了数字研究公司。然而却由于在与IBM的谈判中瞻前顾后，错失了商机——IBM公司的研发人员首先访问的是微软公司的比尔·盖茨，讨论如何向市场推出个人微机。但一开始，比尔·盖茨不愿意向IBM公司提供操作系统。这时，比尔·盖茨向IBM公司的官员谈到了基尔达尔和他创建的数字研究公司。第二天，IBM公司官员就与数字研究公司商业经理协商合作，但数字研究公司不愿意与IBM签署“不可透露协议”，失去了这次合作的机会。后来比尔·盖茨看到了商机，决定与IBM合作。然而比尔·盖茨当时手中并没有成熟的操作系统，于是他购买了一个基于CP/M的操作系统，并将其改进为DOS操作系统，以此与IBM合作。基尔达尔本来想状告比尔·盖茨侵权，但最终却决定不起诉，而是与IBM达成了一个协议——IBM公司在其微机中附加CP/M操作系统。其实，这是IBM和比尔·盖茨联手耍的一个小花招：在这之后，IBM宣布其出售的微机增加240美元CP/M操作系统费和40美元的DOS操作系统费。基尔达尔还以为他占了便宜，实际上还是盖茨赚得更多。因为基尔达尔的犹豫不决耽误了 CP/M 的更新速度，两年以后，DOS 就成了事实上的标准微机操作系统软件，而基尔达尔发明的 CP/M 软件逐渐失宠。数字研究公司最终于 1991 年被 Novell 公司收购，基尔达尔的事业就此宣告失败。

有些失败，源于故步自封，无法跟上时代。美籍华人王安是个电脑奇才，在 20 世纪 80 年代的时候，王安电脑公司的知名度极大，王安本人的个人资产也曾达到数十亿美元。但王安却没有意识到时代的变迁，没有随着时代变迁来开发自己的技术，调整企业的经营策略。随着电脑业的迅猛发展，出现了一大批诸如比尔·盖茨这样的后起之秀，竞争日趋激烈。本来，凭借王安公司的实力与知名度，完全可以战胜这些后来者，可王安却一直抱着自己创业时所总结的经验不放，不肯随时代而改变，最终被后来者击败，导致公司破产了。

这些失败，大多源于失败者的性格缺陷，譬如不善于与他人合作、骄傲自满、不愿沟通……其实本章以及本书的许多其他章节，都讲到了成功者应具备的种种素质、失败者可能存在的种种缺点。愿你看到每一个章节时，就给自己照照镜子，有则改之，无则加勉。不断地改进、完善自身，尽量避免那些不必要的失败；遇到失败之时，既不忽视失败，也不因之而沮丧，坚持自己的信念，成功一定就等待在你的前方！

[智慧箴言]

一个人失败的原因，在于本身的缺点，与环境无关。

——毛佛鲁

（冯础）

第十章　青年科技创新过程中常见问题、难题及其对策

看似山重水复疑无路，其实柳暗花明又一村。艰难困苦，屡遭失败，其实一切问题都不是问题，问题本身往往不足畏惧，关键是我们要找到解决问题的那把金钥匙。有时候我们需要放眼天下，搜寻解题灵感。

一、没有解题思路怎么办?

——灵感并非偶然有，做一个灵感的捕手

创新首要和最大的难题也许就是如何创新了。与其说你需要思路、技术、方法什么的，倒不如说你其实需要的只是灵感。创新并非易事，要得到一个解决难题或者突破技术格局的点子，这就需要灵感。科技创新的灵感其实跟文学创作的灵感具有异曲同工之妙。一篇好的文章，往往一个灵感就足够了。科技创新中的灵感，同样具有这样的神奇功效。因此，可以说，创新难，其实也不难，只要我们擅长抓住灵感，

很多问题即可迎刃而解。

1. 灵感捕猎方法之一：集中注意力法

灵感不是手抓出来，脚踩出来的，而是我们头脑想出来的一瞬间的智慧。多加思考，灵感就能迸发。在一段时间内，我们往往需要集中绝大部分乃至全部注意力去思考某一个关键问题，若思考的事情太多，容易分散注意力和精力。我们也需要在不同时间、不同场合，利用一切空闲去思考需要解决的问题。为什么呢？因为人们如果老是在同样的环境下工作，难免陷入固定思维的漩涡。改变下环境，改变下心情，思考问题也可以在茶余饭后或临睡之前进行，那个时候你的精神也许已很好地放松了，而灵感或许就在你压力消失的时候突然闪现。

著名力学家阿基米德就是一个喜欢在任意时间保持思考的人。一次，国王怀疑工匠给他做的王冠不是纯金的，但既不能当面提出质疑，又不能破坏王冠，于是这个难题就交给阿基米德。阿基米德冥思苦想多日也一筹莫展，但他没有放弃，以至于洗澡时也在想这个问题。当他看到洗澡盆中的水因人的进入而溢出时，阿基米德顿时来了灵感。于是他借助这个灵感最终证实工匠的确掺假，更重要的是他因此而发明浮力定律的意义远比这个大得多。

长期的关注，不轻言放弃，难题总有水落石出的那一天。

2. 灵感捕猎方法之二：头脑风暴法

头脑风暴法是怎么一回事？其实就是中国人常说的集思广益。传说三国时诸葛亮在刘备死后主管大小政务，但他却经常听取他人意见。下属觉得这样做有失体面，但诸葛亮却说：这样做可以集中众人的智慧和意见，政策颁布后大家也乐于遵从。

头脑风暴法是被誉为创新之父的 A.F. 奥斯本在《思考的方法》一书中提出的，其基本原则是：自由阐述、不争论、不设底线和仔细倾听。多听听别人的意见，灵感或许就在思想碰撞的火花中产生了你需要的那一朵。因此，集思广益在西方管理学上被用得更为宽松，也发展得更有规律些。

伟大的爱因斯坦一生有无数的物理突破，不过鲜为人知的是，他的很多灵感其实也来自于“头脑风暴”。取得这么多成就并非他一人的功劳：爱因斯坦喜欢和同事心平气和地交流，倾听别人的意见，因此他不断取得物理学上的突破，同时同事们又因此很喜欢与他合作与交流。

头脑风暴法的重点是要会倾听，哪怕是听起来有些荒谬的想法。

有一年，美国北方突降大雪，异常严寒。最恼火的问题是积雪压坏电线，导致城区电路和通信中断，给人们的生活“雪上加霜”。

电信公司试图解决雪压电线的问题。不过经过一些尝试，还是未能圆满解决。于是高层想到奥斯本的“头脑风暴法”，决定试一试。公司从不同技术的员工中挑选了一批人，要求他们随意提出解决的办法。采纳者则有不菲的奖励。于是人们开始七嘴八舌地议论。有人提出电线产热融化雪的方法，也有人提出摇晃电线的抖雪方法。这时，却有人提出“坐直升机用扫帚扫雪的方法”。听完，大家都为这个荒谬的方法大笑起来。但是有心的工程师却忽得灵感，认为用飞机扇雪的主意不错。于是继续深入思考，终于发明一种全新的飞行扫雪机。雪压电线这个难题便迎刃而解。严谨的科学发明，往往源于一些荒谬的说法。

头脑风暴法已被广泛地运用到各个领域。有时候为了避免大家无谓的争论，还产生了卡片式的头脑风暴法，就是大家坐在一起，把各自的想法、点子写在纸片上，尽量避免出现争论的局面。

3. 灵感捕猎方法之三：阅读启智法

有时候我们找不到问题解决的思路，很可能是对这个问题相关的技术背景等所知不深。这个时候我们不妨先放下问题，转而读读科技界的新闻，同行们写的文章等。身边常备一些与自己专业领域有关的报刊，让自己紧靠科技发展取得的前沿，解决问题的灵感往往就能从阅读中获得启发。古人说读书明智，读书让人保持头脑的聪明，也有这方面的益处。

美军在海湾战争期间，官兵们就做到了人手一本英译版的《孙子兵法》，指挥官们特别喜爱这本书，尽管很多军官在军校期间就已学习完《孙子兵法》的课程，但他们在战争期间仍旧喜欢不时翻阅。目的就是从书中无数的战法中寻找破解当前战事困局的灵感。《孙子兵法》蕴含着无数奇特的兵法，而兵法又是千变万化的。时常翻阅，温故而知新，往往能从这些古代兵法中找到现代战争出奇制胜的灵感。《孙子兵法》风靡欧美，也助美军打了很多漂亮的战役。

4. 灵感捕猎方法之四：实践发现法

尽管有些时候我们需要独自静心思考问题，但“闭门造车”这个词往往还是被人笑话。在问题和技术得不到解决与突破的时候，我们时常需要深入实践去发现解题思路。例如，我们要改进汽车上的一个结构，如果不实地去观察汽车，使用汽车，听听用户的意见，那么创新的灵感从何而来？当我们要进行某样产品创新时，必然要多与产品本身接触，多跟产品用户交流。当年航海家麦哲伦发现地球是圆的，也是因为长期艰苦的实践。从向国王多次申请经费，到航海成行，最终证实地球是圆形的学说，实践是最强的证明。假如麦哲伦只是凭嘴巴，凭计算数据去让世人相信自己，几乎难以奏效，甚至还可能被视为异端邪说。走出去，才能发现真实的世界。

安全炸药的发明人诺贝尔，他的发明可谓一波三折。诺贝尔小时候就亲眼见识过硝化甘油的巨大威力，不过这种炸

药人类当时还无法安全使用。但小小的诺贝尔就萌生了发明一种威力巨大但又安全的炸药的想法。16岁时，诺贝尔因家庭经济原因，辍学去了美国、法国、德国等国家的工厂打工，进一步学到了一些专业知识。26岁时，诺贝尔回到家乡，与父亲一起研制安全炸药。5年后，经过长期艰苦卓绝的实验，诺贝尔终于发明了安全引爆硝化甘油的方法，并获得国家专利。但此事并未完，就在他们大卖专利产品事业蒸蒸日上之际，又一个打击来了：诺贝尔的炸药发了多起意外爆炸事件，尤其在运输过程中。多个国家的政府全面禁止炸药的生产、销售和实验，甚至想驱逐诺贝尔一家。诺贝尔转入地下实验，经过大量的实验研究，终于利用硅藻土改良了炸药。诺贝尔的炸药再次得到肯定，并在工程领域发挥了巨大作用。诺贝尔通过千百次的反复实践，终于研制出了安全炸药，再一次证明了自己。

实践就是灵感，因为不断的尝试可以证明那些虚假的技术，而真正的解决办法则是在你撩开虚假面纱之后才呈现。

5. 灵感捕猎方法之五：问题寻踪法

先找到问题或症结所在，再去捕获灵感不迟。现实工作中，很多技术都是在前人基础上进行的革新，无须凭空想象地去填补什么空白，创造世所没有的全新东西。对于这类科技创新，一个捷径就是亲自找到问题所在，亲自体验问题带来的不足和麻烦，灵感往往就能定向产生。

著名企业家松下幸之助的人生第一桶金就是这样产生的：一次他在菜市场闲逛，忽听到几个家庭主妇在抱怨当时的电源插座是单一的，不能同时供多个电器使用。这个问题被松下幸之助抓住，他很快就组织人力研究多用途的插座，结果新产品一上市就大受欢迎。公司很快大赚一笔，为公司以后的发展打下了坚实基础。

6. 灵感捕猎方法之六：爆发捕捉法

灵感若在自己毫无察觉之时突然爆发出来，这样的现象往往可遇不可求。因此，我们除了用一些科学方法额外增加灵感闪现频率外，这样突然爆发的灵感也一定不能放过。礼遇灵感，在灵感爆发时及时抓住灵感，凭着那最初的震撼和热情尽快投入钻研，往往可以事半功倍。然而，这样的灵感常缺乏规律性。数学家高斯曾说："灵感像闪电一样，谜团一下就解开了。"因此，灵感爆发之时，一定要想办法立即记录下来，或者尽快投入研究中去。

英国数学家哈密顿曾一直在试图破解四元数的问题，以致全家老小因他焦虑不安。直至有一天，他与妻子外出散步，在通过一座桥时，凉风拂面，蓝天飘着几朵白云，突然他灵感爆发，四元数就此产生了。而此时他异常激动，立马掏出小刀把灵感思路刻在桥上。回去后他对于刚才爆发的灵感已经淡忘了，好在当时已经刻在桥头，只需返回去抄下来就是了。

灵感有时会在我们休息放松，甚至半梦半醒之间突然产生。先前处于紧张状态下的大脑得到放松，灵感反而产生了。但灵感来到之际，一定要抓住时机解决问题，过了，则有可能淡忘，或者你会忽视灵感的价值。趁着灵感带来的激情，抓住机会迎难而上，一些问题往往就容易高效率地解决。

［智慧箴言］

科学的灵感，绝不是坐等可以等来的。如果说，科学上的发现有什么偶然的机遇的话，那么这种“偶然的机遇”只能给那些学有素养的人，给那些善于独立思考的人，给那些具有锲而不舍的精神的人，而不会给懒汉。

——华罗庚

天才就是百分之九十九的汗水加百分之一的灵感。

——爱迪生

二、缺乏技术怎么办?

——他山之石可以攻玉，做一个知识与技术的管理者

有创新的项目，往往需要多个专业领域的技术人才。相比之下，一个人在自己所学的专业里容易有所建树，如果跨了专业，甚至跨了行，仅凭个人的力量仍想有所建树那就相当困难了。其实很多大型科研项目往往都有一个足够大的科

研团队。如果无力组建这么一个智力团队，我们也可以借用智力来创新。

先来看看并非医学专业出身的著名企业家陈光标是如何研制出风靡一时的“疾病探测仪”的吧。

陈光标先生创业之初尝试过多种生意，人生几起几落，都没有太大的进展。1991 年，22 岁的陈光标背井离乡到南京创业，几经失败的他终于发现一线希望。

一次，他来到药店，看到一群人围着一台小仪器热议，他发现把这种小仪器的两个电极夹在耳朵上，很快就能检查出耳朵疾病。陈光标受此启发，决心开发一种更先进的、可以探测更多疾病的仪器来。但是陈光标对医学原理及电极知识是一窍不通，如何能研发出头脑里想出的这种仪器呢？于是陈光标就先后去了南京中医药大学和南京师范大学物理系，请了中医专家及物理学教授给自己指导，专家按照陈光标的设想，搞出了一台新式仪器：只要手握电极，仪器就能显示身体哪个部位有疾病。然后陈光标在两位教授的帮助下顺利研制出这种仪器，并获得国家发明专利。产品一上市就赢得了各级医疗机构的青睐，陈光标也因此赢得了人生的第一笔巨额财富。

做一个知识的管理者，整合多人的智慧，一样可以在陌生领域创造奇迹。但如果你有一个团队，要管理起来也非易事。

相传欧洲一个国王，召集了5个有名的学者，准备奖励他们。但奖励之前却要求5个学者组成一个团队，任务是自己煮饭吃。5个学者分别是逻辑学家、语法家、音乐家、占星家和物理学家。他们初步进行了分工并行动起来：逻辑学家去买食用油，却为到底是油依赖瓶子还是瓶子依赖油而引发了冥思苦想。结果他把瓶口朝下，总算弄明白了其中的道理，但油却全部洒在地上。

语法家去买奶酪，却因嫌弃卖奶酪的姑娘们发音不准而拒绝购买，结果什么也没买到。

占星家去森林里找柴火，遇见一只松鼠，心想这是不吉利的，今日不宜捡柴，于是空手而归。

物理学家去买菜，却嫌弃茄子使人燥热，根茎菜可以引发痛风。因没有十全十美的蔬菜也空手而归。

音乐家承担了做饭的任务，但嫌开水冲锅盖的声音难听，自己把锅敲碎了。

5个学者于是只能饿着肚子等待国王发奖品了。

5个学者都是聪明的人，为什么煮一顿饭这么难？原因就在于这个煮饭的团队缺乏管理。成员之间缺乏科学合理的分工与必要的沟通。例如让逻辑学家去买菜，或者帮着烧火，他就不需要把食用油倒出来了。让语法家去森林捡柴，他能听到的也只有动人的鸟鸣。让占星家去买菜，就不容易见着奇怪的动物了。而物理学家最应该去煮饭，因为他最能掌握各种温度与火候。音乐家则应去买奶酪，少女动人的声音，也许只有音乐家能够“慧眼识珠”。

团队要有管理，管理才能出效益。

[智慧箴言]

大成功靠团队，小成功靠个人。

——比尔·盖茨

三、创新没钱怎么办?

——借花献佛未尝不可，无本经营也有学问

青年创新，资金常常是个阻碍你创新发展的拦路虎。没有资金购买仪器、设备、原料，没有资金投入试制生产，的确是个头疼的问题，但只要你有恒心和技术，资金缺乏的问题或许就成了一只纸老虎。

1. 拿项目，搞创新

创新的资金往往是困扰创新进度的一个重要原因。一个很好的前期解决办法就是申请各类项目的科研资助。申请项目，还可以额外获得一些好处。

先看一个青年医生是如何解决自己创新的资金问题的。他想发明一种新的医疗器械，淘汰旧的产品，可苦于没有资金，也没钱找厂家生产试验样品。于是经人指点，他试着去申报市卫生局的科研项目，经过充分地准备和论证，他的项目顺利获得 1 万元的立项经费资助。凭着这点科研经费，他开始前期研究，取得了一些进展。但是经费不多，自然很快告罄。于是他又继续申报省卫生厅的科研项目，由于前期已取得一些突破，因此他的项目在省上也获得立项，再次获得一笔 2 万元的科研经费。这笔资助极大地促进了他的创新事业，不久他的新医疗器械样品就组装出来，并顺利申请了国家专利。专利授权后，他积极寻找厂家合作生产，厂家看到这个新技术产品有省市卫生部门的立项资助，觉得很不错，很快双方就签订了技术转让合同。

创新的成果，最终是要推广出去，转化为各种效益的。而创新的项目如果“师出有名”，有相关部门的立项资助，其实就相当于这些部门对你的创意给出了一个极好的肯定。有了项目的创新成果，既解决了一时的经费问题，又更利于后期的成果推广，一举多得。

而项目立项，除了各级政府立项资助外，还可以申请一些学术团体，如学会、研究会的科研项目资助。甚至，一些预期可以产生良好经济效益的创新，还可以多与厂家、企业联系、洽谈，争取获得厂家、企业的直接资助，建立“产—研”的合作新路子。

2. 借贷的老办法仍然可以让你焕发青春

申请政府的科研项目资助，往往需要挂靠一些企事业单位、高校等。如果没有这样的申请条件又该怎么办?

其实，也有很多办法可以尝试。这就是亲友借钱和银行贷款。尽管都是些老办法，却可以解决实际问题。

创新开展之前，一定要对未来的开支有一个预算，刚开始要量力而行，根据自己的经济实力来开展。

向亲友借钱，好处是不用支付较高的利息，而且手续也很简单。但下面，我们主要提倡的是专利技术贷款。

如果你是一个重视产品研发的人，那么可以及时地把自己的创新成果申请国家专利证。获得专利证书，就可以进行专利权抵押贷款了。这项专利贷款的服务一般可以在你所在地的区县、市的科学技术管理部门的协助下来完成。例如成都市科技局就有专利资助和专利抵押贷款的评审服务。一般的去市政府政务服务中心办理即可，经过市政府的一些专家评审，对你的专利价值进行一定的评估后，就可以到相应的银行申请专利贷款了。凭借这笔贷款，你可以尽快实施生产销售，赢得利润。

专利贷款与传统的房产抵押贷款等方式相比，对你的压力要小得多。

同时，需要注意的一点，由专利推动创新成果向经济效益的转化，除了可以获得国家专利法的保护外，还能直接向你所在的区县、市科技局等申请专利资助。如成都市的使用新型专利每项资助500元，发明专利（个人）资助3 000元等。可谓一举多得！

3. 用创业来支持创新

实施创新技术或产品的研发过程，往往是一个不断消耗资金的过程。其实我们在创新的同时也可以通过成功的创业来弥补创新研发经费的不足。

有一个青年人，很热爱发明，大学毕业时就已获得了3项国家专利证书。但这些专利技术要做成专利产品销售往往需要一个过程和一大笔前期资金的投入。他找到了厂家，准备把自己的专利生产出来，然后自己销售，但在实际生产过程中，专利技术却需要不断地修改、实践，才能成为可以量产的成熟品，而每次试做都需要花不少钱。为了不影响自己创新成果的后期改进，他从所剩不多的资金中拿出1 000元开了个网店，随着他的努力，网店开始有了不错的盈利。就这样，他一边开网店，一边进行专利技术改进。用网店赚来的钱，投入到拳头产品的研发中。终于他的专利技术适合批量生产了，大发展的时代正式迎来。

4. 银行贷款，方式灵活多样

如果你的确什么也没有，但也一定不要失去信心和希望，因为信心和勇气可以推动你想出白手起家的好办法。

美国有个船王富豪，名叫丹尼尔·洛维格，他白手起家的故事对我们就很有启发意义。

丹尼尔31岁的时候还一事无成，他跑遍银行希望得到贷款，却没有一家愿意贷给他。他的贷款理由就是一艘当时他并没有的船，他想用未来的这条船抵押贷款。可银行家们却不是傻子，岂有这样来贷款的？丹尼尔多次失败后痛定思痛，于是他去找了一家石油公司，表示愿意把自己这艘未来的船优先低价租给他们，石油公司只需签个协议，不用花钱，即便没有这么一艘未来的船也毫无损失，也就达成了协议。丹尼尔随后凭借着这份租赁协议再去找银行贷款。银行家一看有石油公司与之合作，于是就同意给他贷款。丹尼尔拿到贷款后很快买了一艘二手船，经过翻新改装转手就卖出不错的高价。于是丹尼尔如法炮制，陆续在多家银行持续贷款，慢慢他便成为一个拥有一支庞大船队的富豪。

一个好的创新和创业项目，值得你开动脑筋争取银行贷款。

[智慧箴言]

我现在知道一个企业都是从小长到大的，别着急，而且创业大概有一年半到两年是瓶颈期，特别难，然后突破瓶颈组织成长，组织膨胀、业务膨胀，然后陷入经济危机。这时迅速调整，调整过来就好了，调整不过来就死掉。所以我清楚，头两年要克服瓶颈，之后要控制组织，有了这样一套东西以后，我们心平气和了，知道一个企业要做大要有很多年时间。

——冯仑

人不能把什么都设计好了才上路。

——张若玫

四、新技术新产品推广难?

——墙内开花，墙外放香：创新技术推广路子多

无论是推广创新技术，还是可以批量生产的新产品，最终都需要广为人知后才会产生实际效益。

1. 专利技术的多渠道转让

专利转让，就是卖专利技术。在没有能力将其转化为产品的时候，卖了也能产生不错的经济效益。先看看青年小李推广自己专利的故事吧。

一个专利少则卖数万元，多则几十上百万元。因此，手里已有多个专利证书的小李迫切地想把自己的一个专利推广出去。他挑选了一个具有较好市场潜力的专利推广，将自己的专利证书、技术说明等复印了上百份，然后从网上检索适合生产的厂家，逐一邮递一份资料，希望通过书面方式获得某些厂家的购买。可是上百封信件发出去后，却全如泥牛沉海。这种定点的推广应该可以命中一些啊？而此前，小李正因为已经通过网站、博客、无数个专利转让 QQ 群等发布了自己的专利信息，希望有人可以买走专利。但这些地方基本都聚集着同样想卖专利的“同行”，专利推广效率低下。于是小李才想出信函定点发给厂家的办法。

但这一招为什么也没有什么效果呢？原因就在于厂家不愿意花钱买专利来生产。除了要承担市场风险外，厂家不买外面专利的原因还在于：很多实用的新型专利在厂家拿到后经过改良，那么厂家自己也能申请相关技术的专利。其次，厂家如果需要研发新的产品，往往会组织本厂技术人员研发，这样的专利则属于职务发明，厂家也无须重金购买。

痛定思痛，小李开始改变策略。首先，他开始关注政府科技局、市科协的网站，发现政府不时在举办专利周活动。他心想，政府举办的，肯定有不少技术需求商前来。于是将自己的专利资料整理好去参加专利周活动。最终，他成功地卖出了一项专利技术。

另一个青年发明人的做法则跟小李不同。他把自己一个拿手的专利做成成品，然后快递给某开辟有“我爱发明”栏目的电视台。他的这件专利作品在电视台播出后，得到一些专家的肯定。果然有一些厂家开始联系他，商谈专利转让的事宜。此外，这位青年发明人还积极奔波于各个生产企业之间，游说企业相关负责人，最终也成功地把专利卖给了生产企业。

实地的推广乃至推销，往往比书面信函或网络更有说服力和诚意。

2. 创新产品推广实战技巧

即使专利已经成为产品，要想推广出去也绝非易事。

话说一位年轻人发明了一种新式报警器，并且拿到专利证书后也与厂家联手生产出来了。可是市场上的报警防盗产品种类繁多，要想打开销售口子谈何容易？于是年轻人决定免费利用报警器帮助警察破案与防盗，相当于赞助让公安局先试用，并且跟着警察进行防火防盗知识宣传，每到一处就宣传自己的产品。由于公安局的活动有媒体的报道，他的这款产品也得到非常不错的宣传。客户看到公安局都在使用，觉得这个产品真的不错，权威可靠，于是这款产品的销路很快就打开了。

还有一个真实的故事不得不说，那就是关于一种普通啤酒销售的故事。由于啤酒品种众多，很多新品牌的啤酒往往认同度不高。话说某市就有这么一家啤酒厂，急于想打开市场销路，然而大品牌的啤酒早就占领了市场。于是啤酒厂决定与该市的《都市报》合作，在上面做广告称：只要两个这家啤酒公司的瓶盖就可以免费换取一份《都市报》。市民们心想，反正夏季喝啤酒喝啥牌也是啤酒，还可以免费看报纸，于是大家争先购买这家啤酒公司的啤酒。结果，该厂啤酒得到畅销，同时消费者得到实惠，《都市报》发行量也猛增不少。真可谓一举多得啊！

当然，有媒体报道的确有助于销售。但现代人见多了媒体以各种形式去做广告，你贸然地去宣传也未必能收获满意的效果。且看日本手表如何抗衡瑞士手表吧。

手表，当然是瑞士品牌独霸天下了。但日本人也搞出一款名不见经传的手表，试图在澳大利亚与瑞士手表争夺市场。他们没有做过多的尝试，也不想花太多的钱请媒体报道。因为单纯的报道或者广告，都缺乏充分的说服力。他们只在当地主流媒体上发了一则消息，称某日某时某地上空一架飞机经过会抛下大量手表，谁捡着就归谁所有。此举吸引了一大批澳大利亚人去围观。到了预约的时候，果然有一架直升机从百米高的天空不断地撒下手表，飞过后市民们纷纷去捡，结果发现这些从高空掉落的手表居然仍在走动！市民大为惊奇，自然也引起市内多家媒体的关注和主动报道。由此，这款日本手表的品质深入人心，成功从瑞士手表那里争得了市场。

有时候，我们就是需要把自己的产品用一种巧妙的方式送出去，让公众检验产品质量，形成口碑。

[智慧箴言]

创业其实首先就是创新。我们要有一个真正创新的点。这个创新的点，并不是你随便想出来的一个小窍门或是比较有意思的想法，不是这么简单的。当你有了创新点后，需要考虑的就是如何把你的能力或是企业的能力与创新相结合。

——简晶

五、失败和打击只让人烦?

——在摔打中成长，失败成就心灵的强者

创新和创业的过程，往往不是一帆风顺的。挫折、难题、困局会在你彻底成功之前重重地、频繁地打击你。其实，多经历失败、打击可以使人在心智上更加成熟、坚强起来。一帆风顺往往并非好事，太容易了，人就成了温室花朵，经不起风吹雨打。正如卡尔·波普尔所说：“如果我们过于爽快地承认失败，就可能使自己发觉不了我们非常接近于正确。”拿破仑的话也颇有启迪性：“不会从失败之中找寻教训的人，他成功的路是遥远的。”

1. 女大学生求职屡败屡战赢得奇迹

有一女大学生本科毕业后四处求职碰壁，但是她没有放弃，最终取得成功。你想知道她用了些什么方法吗?

这名女大学生毕业后希望继续留在学校所在的大城市找工作，可是这里的本科生实在太多了，加上又是应届毕业，谈何工作经验?因此应聘一路失败。兜里的钱也不多了，她想最后去试一下某家公司，如果失败就回家务农。招聘人员看到她只有本科学历，当即就拒绝了，但女大学生请求说“请让我参加完笔试再说吧”，招聘人员勉强答应了。结果女大学生的笔试成绩入围，获得面试机会。但招聘人员仍然不想录用她。面试结束时，招聘人员客套地说：“今天就到这里吧，有消息我会通知你的。”这句话的弦外之音其实很明白。但女大学生马上从兜里掏出一元钱，说：“无论结果如何，请你给我回一个电话。”

招聘人员憋不住地说:“为什么不录取还给你打电话呢?我又不缺这个电话费。”

女大学生诚恳地说：“不瞒老师您说，在过去三个月里我已经经历了上百次的应聘失败。我想知道，你们对我的评价，我到底还有什么不足，以便我不断改进。所以，请您收下这一元钱，一定要给我打电话！”

招聘人员笑笑说：“不用等电话了，我现在就录取你。”

其实，招聘人员最后看上这名女大学生的地方正是她经历太多失败还不言放弃，不放弃对自己的改进，不放弃前进的勇气。同情成分或许有，但女大学生的真诚、不舍和追求进步更能打动人心。

2. 借的钱都打了水漂，你该怎么办

有些机会的失去，往往只是对人精神造成严重打击。但如果你创业之初遭遇失败，很可能就要面临血本无归的残酷现实了。这个时候，你的精神和资金都会跌入低谷，乃至痛不欲生。

在美国，有个人大学毕业后说服亲友借给他钱让他去种地，而他的父母多么希望他留在城里找份体面的工作啊。可年轻人信誓旦旦，租了一大块非常廉价的土地来种植。可惜一年到头，庄稼长得并不好。想到欠亲戚父母的钱、银行的贷款，他万念俱灰。独自待在农场发呆的时候，他无意中发现这块土地间有一种毒蛇出没。于是他灵机一动，既然这土地贫瘠不适合种植，何不改养毒蛇？于是他又重振旗鼓，开始小规模养毒蛇。通过取毒蛇毒液，卖给制药厂，慢慢地毒蛇生意开始有了经济效益。逐渐地他扩大养殖规模，并开展毒蛇观光旅游业，吸引了大量外地游客前来。以至于后来当地邮局不得不专门把这里取名叫“毒蛇旅游村”，并制作了印有这几个字样的邮戳。

成功的道路总是会有的，关键是我们要顶得住失败的打击，熬过长夜等来黎明。活着就是成功和强者最好的体现！

3. 成功也许可以另类

有时候，我们即便不能获取计划中的成功，但也许可以获得别的突破。

传说古时候有一位老和尚，垂垂老矣的时候想尽快物色一个接班人。于是他出了一个难题：要求门下弟子全都去南山挑一背篓的柴回来。弟子们走到南山山下，都犯难了：原来通向南山必须渡过一条白水河，只是这河水因为大雨暴涨，根本去不了南山。众人皆在抱怨，却见一个小和尚用衣服兜着十来个苹果回来了。老和尚很奇怪，就问小和尚这是为什么？小和尚回答说：我去看看有没有可以过河的地方，就发现了一棵苹果树，顺手摘回苹果给焦急的师兄们尝尝。

于是老和尚就把衣钵传给了这个小和尚。

有些事情，也许注定不能成功或者时机不到，但我们可以另辟蹊径，在别的领域做点发现和贡献。即便不能在经济上、物质上成功，但可以在精神上、道义上、修养上升华自己。一个有责任心、有道德观的人，社会往往会更乐意给与他成长和成功的机会。

4. 如果他人对你冷嘲热讽

当然，创新的道路上是免不了冷嘲热讽的。在成功之前，总会有人质疑、反对、阻挠，乃至风言风语的，因为有些人或许就是不愿看到别人过得比自己好，不愿别人取得成功。这个时候，我们多少会有些情绪激动，而冲动之下人就容易犯错，一犯错也就容易影响自己的前途。那么该如何应对呢？

有一名研究生与同寝室的室友有矛盾，该室友嘲笑他科研无建树，想法太平庸，言语异常刻薄。这名研究生很愤怒，想打那个室友，但他忍了一下，决定先去找导师，希望导师出面解决。导师知道后并不发表评论，而是叫他把墙上的大衣取来。然后，导师指着大衣上的一个泥点，让研究生处理。这个泥点已经干了，因此轻轻揉擦一下，泥点就掉了。然后导师就说：“人生难免会遇到一些不愉快的事情。就如同我早上上班被车子溅到的这些泥点，如果我当时去处理，势必越弄面积越大，还会污染双手。所以我就先挂在墙上，等水分干了再去处理。这样是不是很容易就解决问题了？”

在导师的开导下，研究生明白了其中的道理，最后在科研领域做出了创新，让室友刮目相看。一起可能的悲剧就在无形之中被制止了。

有时候，我们对待这类矛盾，不妨就用“冷处理”吧，等自己头脑清醒了，也等待那些流言的“水分”干了，这个时候正确而环保的解决办法也就产生了。

5. 面对打击我们要有自己的判断力

面对别人不可理喻的语言，我们往往没法置之不理，但是我们不能失去自己的判断力。英国作家毛姆说得好：“一经打击就灰心泄气的人，永远是个失败者。”

很早以前，美国有个叫索尼娅的小女孩，放学回家后就向父亲哭泣，说同学笑她长得丑，走路像个鸭子。她的父亲并没有改口赞美她、鼓励她或者反驳同学的言论，而是说：“索尼娅，你知道吗？我不用跳起来也能摸到天花板。”

索尼娅好奇地停下哭泣，看了看天花板，摇摇头说：“怎么可能？”因为屋顶足有 4 米高。

她父亲又重复一遍：“我真能摸到天花板啊！”

索尼娅还是摇摇头：“我不信！我不相信！”

然后父亲就告诉她：“你说对啦！爸爸的确够不着。有时候我们一定要有自己的判断力，不要轻易相信别人说的就是事实。”

索尼娅因此倍受鼓舞。后来，你知道发生了什么事吗？

索尼娅后来就成为美国著名的女演员啦。没有自己的判断力和自信，她是走不到这一步的。

［智慧箴言］

感谢上帝没有把我造成一个灵巧的工匠。我的那些最重要的发现是受到失败的启发而获得的。

——戴维

我们的科学史，只写某人某人取得成功，在成功者之前探索道路的，发现“此路不通”的失败者统统不写，这是很不公平的。

——爱因斯坦

（阮鹏）

第十一章　青年创新成果的创新度自查方法

认识自己，就是要多照照“镜子”。检验自己的思想成果，还得他人多评价。让别人多评价是为了发现自己的不足，帮助自己更好地进步，而非为了获得表扬。

一、创新的一般评价方法

不是你做出的任何东西都能叫作创新。

如果别人先你一步做出你的同类成果或产品，那么你的成果还具有创新价值吗？先不要着急回答。因为既不是“是”，也不是“不是”。

1. 创新允许有一定的雷同

科技创新，通常的理解就是做出别人没有做出的东西，想出别人没有想出的点子，独树一帜。其实，科技创新跟文学创作还是有差别的。写一篇文章，你的段落跟别人有重复了，那么，哪怕这段话是你自己独立思考的结晶，也容易被编辑判断为“抄袭”。

而评价一个成果的创新，则另当别论了。

例如火箭、核武器是国外先发明和使用，我们国家后来才发展和使用，那么这种国外已有的东西我们再做出来是不是就没有创新了呢?

同样的，国内很多专利产品也面临着这样的问题：同类产品可能是人家外国人先发明的，那么国内的雷同产品是否具有创新价值呢?

答案是肯定的，因为火箭技术、核武器技术这些，尽管是国外先发明出来，但人家不会傻傻地把这种国家战略技术透露给你一丝半点。我们要想搞出火箭和核武器，就不得不自力更生，自主研发和生产。因此，火箭和核武器技术的开发过程中，尽管国外都有了，但中国人自己掌握的每一点技术都是货真价实的创新。

2. 专利评价的国家区别

再说说这个专利雷同的问题。其实，专利更像是一种技术的法律保障，每个国家往往只是评估和保障本国专利，只是给在本国专利部门来申请的人颁发专利证书而已。例如美国有个人发明的专利如果没有在中国申请专利保护，那么某个想走捷径的国人就可以把他的专利拿到中国来注册申请，结果是有可能成功获得专利证书的。

因此，对于专利这个特殊的技术评价，往往是只评价这个专利在本国专利数据库中的雷同、相似情况而已。如果没

有多少雷同和相似，那么就可以获得国家专利证书。

当然，如果你担心你的专利被国外的某些个人和企业使用，那么你也可以同时申请国外的专利。就是多去一些主要的发达国家申请他们的专利保护。但是，全球那么多国家，想要完全彻底保护自己的专利不被侵犯，几乎很难。往往也没有必要。因此，如有重要专利，可在一些欧美发达国家同时申请专利保护。

3. 成果评价具有区域范围特性

较之专利评价的一些方法，科技成果的评价基本原则可能会让你感到一点吃惊。

你做出的一项研究成果，除了卖技术、转化生产外，还可去参加政府的或民间的各类科技成果奖评选。其中对成果创新性的评价尤其重要。

通常，市级成果奖要求成果必须在市内或本省范围内具有创新价值；省级成果奖要求是全省范围或全国范围内具有新颖性。上升到国家层面的奖励，则要求成果至少是在全国，乃至全球都具备创新性。

这么说下来就很简单了：越是小级别的评奖，评价标准就越低。反之，被要求的创新度就越高。评价的一个共同特点就是把你的成果拿到一定行政区域内进行比较。

而其实我们在创新或创业初期，或者一般用途的情况下，往往并不需要那么高级别的创新评价肯定，市里、县里给个成果奖就足够了。

4. 新药审批的评价标准

再来看看我国对新药的分类标准，其中的“新”就有非常明确的标准，有利于我们掌握不同级别新的差异。

（1）西药新药分类标准

一类，未在国内外上市销售的药品——

①通过合成或者半合成的方法制得的原料药及其制剂；

②天然物质中提取或者通过发酵提取的新的有效单体及其制剂；

③用拆分或者合成等方法制得的已知药物中的光学异构体及其制剂；

④由已上市销售的多组分药物制备为较少组分的药物；

⑤新的复方制剂；

⑥已在国内上市销售的制剂增加国内外均未批准的新适应证。

二类，改变给药途径且尚未在国内外上市销售的制剂。

三类，已在国外上市销售但尚未在国内上市销售的药品——

①已在国外上市销售的制剂及其原料药，和 / 或改变该制剂的剂型，但不改变给药途径的制剂；

②已在国外上市销售的复方制剂，和 / 或改变该制剂的剂型，但不改变给药途径的制剂；

③改变给药途径并已在国外上市销售的制剂；

④国内上市销售的制剂增加已在国外批准的新适应证。

四类，改变已上市销售盐类药物的酸根、碱基（或者金属元素），但不改变其药理作用的原料药及其制剂。

五类，改变国内已上市销售药品的剂型，但不改变给药途径的制剂。

（2）中药新药分类标准

①未在国内上市销售的从植物、动物、矿物等物质中提取的有效成分及其制剂；

②新发现的药材及其制剂；

③新的中药材代用品；

④药材新的药用部位及其制剂；

⑤未在国内上市销售的从植物、动物、矿物等物质中提取的有效部位及其制剂；

⑥未在国内上市销售的中药、天然药物复方制剂；

⑦改变国内已上市销售中药、天然药物给药途径的制剂；

⑧改变国内已上市销售中药、天然药物剂型的制剂；

⑨已有国家标准的中药、天然药物。

总结一下，创新成果至少具备以下三个特点之一：

第一，被国外封锁的现有技术，我们靠自己研究破解掌握的技术就是创新；

第二，国外专利没在国内注册或出现的，这种技术在国内也具有创新价值；

第三，在一定行政区域内，没有雷同和相似的成果，就是创新。

不管你研究的东西是前所未有的，还是基于前人基础改进的，都适合用以上三条判断一下。

[智慧箴言]

创新就是创造一种资源。

——彼得·杜拉克

创造性模仿不是人云亦云，而是超越和再创造。

——西奥多·莱维特

二、创新度是可以查出来的

创新度，就是你创新的程度。这是个虚拟的词，很难用数学公式来精确表达。尽管如此，我们仍然有不少方法可以自己去查一查，以便初步掌握自己成果的创新度。查成果和技术的新颖度，有个专业名词就叫“查新”。

1. 查新方法之一：自己去互联网查

你可以把自己创新技术的关键词等放到百度等搜索网站上去检索下，即可看到互联网给你提供的雷同或重复率查询资料。只是，这种查询网站不会直接给你什么查询的数据，需要你自己去逐一阅读理解和对比。

2. 查新方法之二：专业数据库查询

假如你要申报一个专利，事先去国家知识产权网站的专利数据库查查相同专利的技术资源就显得非常必要。如果你的技术跟数据库中的资料雷同，那么就果断放弃吧。或者，通过查看别人的专利技术，你会产生改进创新的灵感也说不定哦。查专利去国家知识产权局的数据库查最可靠和权威，目前数据库的专利技术都是公开和免费查询的。

3. 查新方法之三：专业查新机构查询

专业机构的查新结果，就是一种最权威的创新证明了。这个查新的结果可以很好地说服你要说服的人，如果的确是创新成果的话。

我国的查新机构一般是科技部、教育部审批成立的。省、市级的机构有四川省科技信息研究所、四川省医学信息研究所、成都市科技信息情报研究所等。此外，一些高校和大型医院的图书馆也能获得相应的查新资质。

这类查新主要分为国内查新和国际查新，缴纳数百元查新费后，查新机构在 5~20 个工作日内会给你出具查新报告，该报告就会罗列可能出现的与你成果相关的文献和技术，然后给出一个创新的结论，盖上该机构的公章。

查新报告通常用于项目立项前查新和成果申报前查新。这是证明自己成果是否有创新，创新度为多少的权威方式。

但需要注意的是，往往查新报告会罗列无数与你成果有关的文献，查新人员应逐一进行阅读和对比，最后得出查新结论。

[智慧箴言]

创新是唯一的出路，淘汰自己，否则竞争将淘汰我们。

——英特尔公司总裁安迪·格罗夫

不善于倾听不同的声音，是管理者最大的疏忽。

——美国女企业家玛丽·凯

三、创新度是可以鉴定的

有些成果去查新机构查新可能是不行或不够的。

如果你的技术涉及保密就要另当别论了。军队的很多科研成果，如国家武器技术，都属于国家机密。即便是政府授权的查新机构也无权过问这类机密成果。

还有一种情况：如果你的成果创新度很高，对国家社会的意义重大，那么仅仅是一纸查新报告也是无法体现你的成果重要性的。此时，就有必要进行成果的专家鉴定。成果鉴定的服务由各级政府提供，军队的技术自然由军队内部专家组织进行鉴定。

以成都市科技局的成果鉴定为例：

首先申请人要到科技局网站下载《科技成果鉴定申请

表》，并准备好相关的辅助、佐证材料，一并提交到成都市政府服务中心的科技局窗口。

接着，在4个工作日被科技局受理后会将材料推荐到省科技厅，在30个工作日内他们会组织专家进行评审。如鉴定符合条件，会颁发鉴定证书。而且此项完全免费。

你可能需要提交的鉴定材料清单如下：

（1）《科技成果鉴定申请表》。

（2）全套科技成果鉴定技术资料：

①计划任务书或合同书；

②技术研究报告（包括技术方案论证，技术特征，总体性能指标与国内外同类先进技术的比较，技术成熟程度，对社会、经济发展和科技进步的意义，推广应用的条件和前景，存在的问题等基本内容）；

③测试分析报告及重要实验、测试记录报告；

④设计与工艺图表；

⑤质量标准（指产品类的企业标准、行业标准、国家标准、国际标准）；

⑥国内外同类技术背景和对比分析报告，以及国家或省有关部门认定的科技信息机构的查新结论报告；

⑦用户使用情况报告；

⑧经济效益（一次性直接效益）、社会性效益分析报告及证明材料；

⑨涉及污染环境和劳动安全等问题的科技成果，需提供有关主管机关出具的报告或证明；

⑩准确的完成单位（不包括一般试制加工单位及一般协作单位）和主要完成人员名单（按解决该项成果技术问题所做贡献大小排序）。

成果鉴定主要针对自然科学类成果，是申请政府相关成果奖的重要环节之一。不同部门和地区的成果鉴定略有一些不同的要求，但往往都要求提供查新报告。社科成果一般可以不用做成果鉴定，有产生的社会效益为佐证即可。

[智慧箴言]

创新是做大公司的唯一道路。

——管理大师杰弗里

可持续竞争的唯一优势来自于超过竞争对手的创新能力。

——著名管理顾问詹姆斯·莫尔斯

四、创新度是可以问出来的

1. 一问专家教授

专家见多识广，往往可以较快地对你的成果新颖度进行衡量。但是专家教授可不是随便就能问到的，尽管大家普遍认为遇到技术难题咨询专家是条捷径。当年陈光标先生就是

靠拜访高校相关专家发明了疾病侦测仪并获得国家专利的。

找专家是需要一些方法和技巧的。

首先，一定要找对专业领域。例如你要咨询医学上的问题，可以去医学院校或者一些医院。最好是事先通过正规渠道了解相关专家已向社会公开的个人信息、联系方式等。在取得联系方式后，可以事先用电子邮箱、短信，继而用电话预约。征得同意，事情自然就好办了。

当然，有些专家未必在高校或者工作单位，例如已经退休赋闲的。这样的专家往往更好请教。还在工作岗位的专家往往都比较忙，一般人士访问可能不容易被接受。而一些医生退休后则在社区诊所、私人药店坐诊，普通群众更方便去寻找。毕竟这样的坐诊，工作量已大大减轻了。

其次，专家也可以网上咨询。例如一些正规的健康咨询网站就开设有免费咨询页面，你上网就可以在线咨询或者稍后得到答复。还有一些网站开辟有问答功能。例如百度知道，你可以在上面自由发问，然后会有很多网友帮你解答，你可以择优采纳。需要注意的是，类似百度知道问答的这类网站，有些回答者是官方网站认证过的，甚至还有些标有“专家”头衔，你也可以专门找相关领域的专家咨询，若专家回答令你满意的话，你就采纳加分即可，无需任何花费。

第三，任何“忙碌”的专家，“冷面无情”的专家，只要你精诚所至即能金石为开。真心、真诚，展示自己的理想和现实困难，争取打动你要找的专家，且不轻言放弃。记住一点：这个社会总是倾向于去帮助那些有责任感、有社会公德、有上进心的人，人们更愿意看到这样的人取得成功！

当然，请教专家，咨询费或劳务费什么的，那是应该酌情考虑的。有些行业的科技咨询专家，还有明码标价。例如企业请某高校专家做顾问，那么往往就以一年多少万元买断。而心理咨询师提供的咨询服务，则往往是以每小时计算报酬的。

2. 二问同行

问同行自然是有风险，因为这样容易把自己的计划和路线透露给竞争对手。但必要时还是得问，且非常有问的价值！

（1）从同行那里可以打探出一些有用的信息。同行也许不会给你正面和正确的回答，但你可以换个方向思考同行的回答，这样往往就可能得出一些有用的信息。在存在明显技术竞争，且涉及经济利益的方面，巧妙地问同行可以收到投石问路的功效。

在不存在知识产权侵犯问题的技术上，例如公益项目技术等，可以把自己的技术适当公开。但在公开前，还是要注意保护自己的知识产权，如事先做好专利和产权登记等。一般情况下，技术的公开发表、发布，专利申请从受理之时即享有知识产权的保障了。

（2）学术交流场合，同行其实很“可爱”。同行的竞争，是因为各自的利益而引发的。这不足为怪，但是也并非所有的同行都是这种“不愉快”的关系。在科学界或者学术界，同行时常也非常可爱！

例如参加各级学术团体、科研机构举办的各级学术会议，这类会议或称为学术年会，或称为研讨会，你都能获取大量同行最新的研究信息和成果。简单地说，这类会议会邀请相关领域的权威专家、热门人物做报告，而参会人员也要求你提供个人的研究论文。只有你的研究具备一定的学术价值时，你和你的论文才会被大会录取。

在这样的会议上，同行们往往都热衷于充分地展现自己的研究成果、技术方法等。另外，你还可以与之面对面交流、对答，甚至质疑也行。为什么呢？因为学术会议往往就代表了这个领域的前沿，参会的都是这个领域的先锋人物，在这个舞台上充分展示自己的风采，是树立自己在该领域口碑、形象的大好机会，或者说是一次出名的大好机会。学术会议级别越高则机会越大。

你可以在这样的大会上获取创新研究最为前沿的动态。会议后，往往参会者的论文、专家的发言稿等都会结集出版或印刷成册，其中就有不少与会同行最新的科研成果。跟同行的研究加以对照，你就知道自己的水平了。

（3）“化敌为友”，同行增加你的创新能力。在全球一体化的今天，国际科研合作变得越来越普遍和寻常。从为人类服务的公益医学课题，到涉及国家机密的卫星导航系统的国际合作研发等，更多的同行选择“走在一起”“共同分享”。你有类似的合作开展吗？你的研发团队往往就是你创新度的衡量标准。

尽管在开展这样的合作之前，大家还是有些互相保密和竞争的关系，但是往往一个重大技术问题，你有的我没有，我有的你却没有，如果双方结合起来，技术难关的突破就变得容易了。一般来说，如果对方有资金，而我方有技术突破，或对方有破题思路，而我方有先进实验条件等。这时，双方就可以放弃那些互相提防的偏见，走到一起开展合作。成果嘛，既可双方共享，也可以免费服务全球。正如人类DNA序列的绘制，其研发工作就是由美国、英国、法国、德国、日本及中国等共同参与完成的，而其成果却是免费公开，全球共享的。

跟同行合作，就可能组合成相关领域最强的研究团队，那么团队的研究成果也就更容易成为该领域最先进的技术。

对团队科研创新实力的评价，往往是政府科研项目立项的重点之一。你的研究团队有多少创新实力，常常可以预测项目成果的创新性。因此，科研项目申请人都很重视团队的搭配，其中包括学历、职称、年龄、专业等的搭配。团队成员中，既要有专家教授，又需要有初中级职称的年轻人。老、中、青三代搭配，是常见的团队组建方式。

能否吸纳同行，可以影响你的创新度评分及后期成果的新颖度。

3. 三问群众用户

创新技术突破，还可走走群众路线。你还记得头脑风暴法吧？有人无心的戏言，在工程师那里却变成一项创新发明。走群众路线的好处自然还不止如此！

（1）群众可以帮你发现问题所在。当我们做出一个东西或完成一项技术突破后，往往都有如释重负和欣欣然的感觉，这样的感觉会让你觉得自己有多么的了不起，自己的成果有多么的“伟大”。同时，你也容易被眼前的胜利蒙蔽而看不到其中的缺陷和不足。

群众的眼睛是雪亮的，这个时候如果你冷静下来，谦虚地让群众帮你找找问题，自己的成果就能不断完善。

因此，多问问下属也好，亲友也好，陌生的潜在用户也好……让别人帮你发现问题，你才知道自己的不足，才知道自己技术的真实水平。

有时候我们也可以去找那些不怎么喜欢我们和支持我们的人来评价，他们不留情面的评价往往更能反促你进步。

（2）头脑风暴法。你的创新成果水平怎么样，有时也可以找一般的群众评评。他们不够专业，因此往往可以抛开专业上的条款限制，无拘无束地评价，这里面有可能会冒出一些让你心动的点子。再者，有些东西可以多向老年人请教，他们人生阅历多，经验丰富，老人的智慧和经验不可低估。这其实就是头脑风暴法的灵活运用，此处就不多说了。

（3）用户评价改进意见。很多创新产品，在正式生产或上市之前，往往都需要找潜在的用户进行试用和测评。是骡子是马，都得拉出来遛遛才行。

例如某国车企，自主研发出一款新型发动机，乍一看数据，其功率值和扭矩与国外同排量的发动机差不多，甚至更高。那么这款发动机是不是就超越国外了呢？

理论上的数据是没法进行真实评价的，只有把发动机装上车子开一开才知道。经过实际的试驾测评，你也许会发现车子的动力其实并没有账面数据那么好。国产发动机或许设计技术先进，但受制于生产工艺技术，发动机实际表现往往与理论有一定的差距。此外，发动机后长期使用中的稳定性、故障率等也需要考虑。

这些都需要让用户来检验，而非什么领域的专家。

又如国产SUV的领军企业长城哈弗，他们在2013年11月就推出了一款全新国产豪华SUV哈弗H8，这款车的定价和配置都不逊于合资车，各路专业人士测评也多称赞。随后，厂家举行了为期一周的试驾活动，普通群众可以自由申请免费驾驶，结果在这为期一周的驾驶活动中，这款精心准备的国产豪华SUV却表现出较多的问题，于是厂家负责人发布声明，决定推迟三个月再上市。

试想，若长城厂家不让群众试驾，而是让自己的试驾队伍测评通过就上市销售，那么群众拿到后暴露的这些问题必然会给 H8 豪华的定位大打折扣。

让用户来检验新技术的水平，才是硬道理。

[智慧箴言]

正确的决策来自众人的智慧。

——美国社会学家 T·戴伊

顾客是重要的创新来源。

——管理学家汤姆·彼得斯

五、创新度是可以比出来的

1. 有比较才有鉴别

优劣往往在比较中一目了然。新技术、新方法与新产品，自然也是比较中见分晓。当然，创新成果的比较往往是综合地对比。例如一辆全新概念的新型轿车，既要比外观、油耗、动力、内饰等，又要比性价比和质量稳定性。最终还得去比较销量，有销量才是硬道理，才能反映用户的接纳程度。

这里就不得不谈及一个问题了：创新必须结合实际，脱离实际的创新是没有生命力的。正如这汽车，有些汽车的确科技配置高，但是销量却远不如对手，因为消费者最终还看车子的性价比。你造一个前无古人后无来者的新东西，但是价格昂贵，创新努力往往就此宣告失败。

此外，你的创新技术必须是当前生产技术能够生产出来的，如果超越现有制造水平，那么创新的东西只能被束之高阁，成为花瓶了。

创新的东西还得考虑到生产成本、生产便利性，考虑到公众的实际需求。通过与现有产品、竞争产品的对比，除了能对比出创新水平外，还能检验自己创新成果推广的适宜度。

2. 比赛法

谁跑得快并不重要，重要的是有比赛奖品的激励。创新也是如此，我们有时就需要多参加一些技术比赛。例如围绕同一学术主体的征文比赛，某项工程技术的公开招标等。这就是一种科技比赛，参加比赛往往能让你有动力。而评委的评价和最终结果则可以很好地反映出你的创新思路的新颖度。

更多的科技竞赛是无声的。例如国家与国家之间的比赛。在关乎国家战略安全的科技领域，各国的科学家都在争分夺秒地争取突破。谁先成功，谁就先占领全球市场，同时也保障了本国的利益安全。

因此，除了积极参加科技竞赛，我们还得多多了解国内外的同行，掌握业内新进展，随时把自己的创新放在最前沿，才能保证创新的新颖性。

3. 追赶法

如果别人早已走在了前面，那么我们的创新就用追赶法

来评价。例如原子弹技术，早在我们之前就已有美国和苏联掌握，那么我国后来的研制成果，尽管不是世界最先进的，但至少填补了国内空白。

“达到西方国家 ×× 年代的水平”或者“与国外水平相差 ×× 年”，虽然这些用语说明我们暂时落后，但更重要的意义却是表明我们正在奋起直追。有进步，有创新，才是真理。看着差距，我们才知道前进的方向。直到有一天我们的某某技术“达到国际领先水平”，那就说明我们追赶成功。

继续前进，以至于把对手远远甩在后面，这时自然就不好找比较对象了。但若能保持这样的纪录也是好事，就换成让别国或对手来追赶我们了。被追赶，也能检验出我们创新的维度。

[智慧箴言]

一个人想做点事业，非得走自己的路。要开创新路子，最关键的是你会不会自己提出问题，能正确地提出问题就是迈开了创新的第一步。

——李政道

如果你要成功，你应该朝新的道路前进，不要跟随被踩烂了的成功之路。

——约翰·D. 洛克菲勒

（阮鹏）

第十二章　信息时代条件下创新的特点

在当今全球一体化的知识经济时代，创业已经成为成千上万的年轻人追逐的梦想。在创业的道路上要想获得成功，就离不开创新，它是创业成功的重要因素之一。

一、信息化时代特点

信息化是人类社会进步发展到一定阶段所产生的一个新阶段，它是建立在计算机技术、数字化技术和生物工程技术等先进技术基础上的。

信息化具有虚拟性、全球性、交互性与开放性的特点，体现出以物质生产和物质消费为主，向以精神生产和精神消费为主的阶段转变的特征。信息化时代的来临，为诚信创业创造了有利条件。创新创业将出现以下变化：

社会经济结构以服务性行业为主；

专业和技术阶层逐渐成为职业主体；

知识创新成为社会发展的主要动力；

人们更加关注社会未来的发展趋势。

1. 信息化的“四化”

智能化。知识的生产成为主要的生产形式，知识成了创造财富的主要资源。这种资源可以共享，可以倍增，可以“无限制地”创造。这一过程中，知识取代资本，人力资源比货币资本更为重要。

电子化。光电和网络代替工业时代的机械化生产，人类创造财富的方式不再是工厂化的机器作业。有人称之为“柔性生产”。

全球化。信息技术正在取消时间和距离的概念，信息技术及发展大大加速了全球化的进程。随着互联网的发展和全球通信卫星网的建立，国家概念将受到冲击，各网络之间可以不考虑地理上的联系而重新组合在一起。

非群体化。在信息时代，信息和信息交换遍及各个地方，人们的活动更加个性化。信息交换除了社会之间、群体之间进行外，个人之间的信息交换日益增加，以至将成为主流。

2. 信息化的“四性”

综合性。信息化在技术层面上指的是多种技术综合的产物。它整合了半导体技术、信息传输技术、多媒体技术、数据库技术和数据压缩技术等；在更高的层次上它是政治、经济、社会、文化等诸多领域的整合。人们普遍用“synergy”（协同）一词来表达信息时代的这种综合性。

竞争性。信息化与工业化的进程不同的一个突出特点是，信息化是通过市场和竞争推动的。政府引导、企业投资、市场竞争是信息化发展的基本路径。

渗透性。信息化使社会各个领域发生全面而深刻的变革，它同时深刻影响物质文明和精神文明，已成为经济发展的主要牵引力。信息化使经济和文化的相互交流与渗透日益广泛和加强。

开放性。创新是高新技术产业的灵魂，是企业竞争取胜的法宝。参与竞争，在竞争中创新，在创新中取胜。开放不仅是指社会开放，更重要的是心灵的开放。开放是创新的心灵开放，开放是创新的源泉。

科学技术赋予时代新的机遇，弄清楚信息时代条件下创新的特点，对青年人的创业与创新有着十分积极的促进作用。

［智慧箴言］

科技是人类智慧的伟大结晶，创新是文明进步的不竭动力。

——胡锦涛

二、新产业与创新创业

在新世纪，随着新的科研成果和新技术的发明和应用以及高新技术对传统产业的改造，出现了一大批新的部门和行业，形成了一个个新的产业，创造出了很多新的增长点。创

新创业时就要关注新兴产业、行业的发展。

目前涌现出的新兴产业主要有新材料、新能源、现代农业、生物医药、电子商务等等。以碳纤维为例，密度不到钢的 1/4，其抗拉强度一般都在 3 500 MPa 以上，是钢的 7 ~ 9 倍，抗拉弹性模量为 230 ~ 430 Gpa，亦高于钢。世界 PAN 基原丝碳纤维需求量以每年 13% 左右的速度增长。2012 年，世界需求量为 6 万吨，100 亿美元；2015 年，预计约 9 万吨。全世界主要是日本东丽、东邦人造丝和三菱人造丝三家公司，美国的 HEXCEL、ZOLTEK、ALDILA 三家公司，以及德国 SGL 西格里集团，韩国泰光产业，中国台湾的台塑集团等少数单位掌握了碳纤维生产的核心技术，并且有规模化大生产。我国目前的碳纤维生产能力 (特别是高端产品 T-700、T-800 以及 M40、M50) 与国际水平还存在相当的差距，大量高端碳纤维产品仍靠进口。又如氧化铝纤维，它是当今国内外最新型的超轻质高温绝热材料之一，与碳纤维和金属纤维比较，氧化铝纤维具有高强度、高模量、高耐热性和耐高温氧化性，在高温下具有较高的拉伸强度。主要应用于高负荷的机械零件和高温高速旋转零件以及有轻量化要求的高功能构件，例如汽车连杆、传动杆、刹车片等零件及直升机的传动装置等。由于在军工、航天航空领域具有重要的战略意义和巨大的商业价值，美国等发达国家已将其作为航空、航天飞行器和民用汽车工业中先进发动机组件的极具发展潜力

的材料之一，世界上已商业化生产的氧化铝纤维品种主要有美国杜邦(DUPONT)公司的FP、PRD−166系列，美国3M公司生产的Nextel系列，英国化学工业公司(ICI公司)生产的Saffil系列，日本Sumitomor公司生产的Altel系列。再如以数字模型文件为基础，运用粉末状金属或塑料等可黏合材料，通过逐层打印的方式来构造物体的3D打印技术。该技术在珠宝、鞋类、工业设计、建筑、工程和施工（AEC）、汽车、航空航天、牙科和医疗产业、教育、地理信息系统、土木工程、枪支以及其他领域已经开始应用。

新材料技术的应用已经开拓出了新的市场，年轻人在创新创业中就要关注新产业、新市场。

[智慧箴言]

成功不是因为解决了问题，而是抓住了机会。

——约翰·奈斯比特

三、新变化与创新创业

当今产业布局发生了新的变化：信息化与全球化导致产业布局的空间范围扩大，产业分散布局的驱动力量增强；产业内部生产组织方式从传统的大批量生产转变为柔性生产，区位选择的弹性增加，布局的指向性弱化；根植于本地文化的新产业区及产业园区成为中小企业集聚的新模式，具备区域优势与特色的产业集群是世界产业投资与布局的重要选择；随着自由贸易度的提高，产业会加快向贸易成本较低的区域转移；全球范围内产业的相互依存度提高，基于信息和知识的集聚经济产生。因此，在创新创业中就要善于发现新变化，抓住新机遇。

德鲁克指出，在判断产业结构和市场结构是否发生了变化时，要考虑：

某特定产业的增长速度明显高于总体经济和人口的增长速度。如果一个行业的销售总额，比如汽车行业前几年的销售总额，达到平均每年增长 20% 左右，明显高于 GDP 增长速度和人口的增长速度，那么在这样的一个行业里，就一定会发生产业内部结构以及市场划分（市场体系）的改变。特别是当一段时间内该行业销售总额翻了一番时，我们就可以确信，它的结构将会发生重大变化。

原来的市场区分方式已经过时了。不断地出现跟过去的市场或市场细分不一样的、非驴非马的另类市场。在这种情况下，按过去的市场定位来提供的产品和服务的对应性就越来越差。有人在做新的东西，这种新的、被传统认为是奇怪的业务，往往会被原来在这个行业中占据垄断地位、领导地位的公司所质疑、轻视和忽略，这个时候我们也可以判断产业结构和市场结构发生了改变。如，现在新出现了一种保健公司，这种公司自己没有医院，只有极少量有一定医务知识的、类似家庭医生那样的专业人员，它的客户是大企业、大机构，业务是为员工安排保健方面的服务，包括为他们去大医院、找好医生作诊疗开辟绿色通道。

不同的知识、不同的科技本来是相互独立的，但是现在整合在一起了，形成一个新的企业或者行业，也大大拓展了市场。如电视、电脑、电话、收录机、照相机、摄影机等等，过去都是分割的，今天一个小小的装置或者跟其他部分连接，就可以实现所有的功能。

经营模式、运作模式的改变。如光华服务产业公司，将基于医院的运营模式改了，把非核心业务外包，形成了自己的业务模式。

在创新创业中就要考虑市场发生的新变化。

[智慧箴言]

你的时间有限，所以不要为别人而活。不要被教条所限，不要活在别人的观念里。最重要的是，勇敢地去追随自己的心灵和直觉，只有自己的心灵和直觉才知道你自己的真实想法，其他一切都是次要的。

——史蒂夫·乔布斯

四、信息时代的创新创业人才素养

信息时代的来临给年轻人的创新创业提供了前所未有的

新机遇。在信息时代下的创新创业人才应当具备以下基本素养：

心理特征——成就需要、风险承担偏强、控制欲；

企业家精神——善于捕捉机会、敢于承担风险、好奇心强、善于学习、良好的身体素质和心理素质；

创新头脑——明确创新才能出奇制胜、善于用脑（发散性、条理性）、细心观察勤学好问、思考周密；

探索、冒险精神与好奇心——明确没有无风险的创业、勇于开拓的冒险精神、良好的心理承受能力、明确的奋斗目标、积极行动、永葆进取心、人无我有人有我精；

良好的组织、沟通能力——善于用人、表扬和鼓励团队成员、不轻易否定他人意见、正确对待批评、善于持续学习和充实自己；

双赢思维——帮人之心不可无、利人利己、同事是帮手同行不是冤家、真诚正直的个人品格和富足心态、团队合作可提高所有参与者的共同福利；

情商重于智商——积极乐观的人生态度、善良待人、诚实做人、强韧的意志力、强烈的自信心。

[智慧箴言]

敢探索发明的心理，即是创造精神；敢入未开化的边疆，即是开辟精神。创造时，目光要深；开辟时，目光要远。所谓创新思维是既独立于别人的思维框架，也独立于自己以往的思维框架。

——陶行知

五、新模式与创新创业

在信息时代，互联网、大数据、云计算等科技不断发展，由此带来了经济增长模式的变化。关注信息时代发展模式的变化，顺应发展规律，对创新创业有着十分重要的作用。

李彦宏指出："互联网产业最大的机会在于发挥自身的网络优势、技术优势、管理优势等，去提升、改造线下的传统产业，改变原有的产业发展节奏、建立起新的游戏规则。"美图秀秀的管理者蔡文胜说："未来属于那些传统产业里懂互联网的人，而不是那些懂互联网但不懂传统产业的人。"

Fedex（联邦快递）是一家年收入高达 320 亿美元的企业，2012 年财富世界 500 强排行榜第 263 位、2013 年财富世界 500 强排行榜第 245 位。Fedex 是 20 世纪下半叶伟大的创业传奇的故事之一，其创始人弗雷德·史密斯是一个敢于创新、敢于冒险的杰出企业家。正如他所讲：他必须创新，哪怕只是为了生存。1969 年，史密斯从越南战场回到美国后，先购买了一家叫阿肯色航空公司的飞机维修公司，使之变为收购和销售旧飞机的交流中心，两年就赢利 25 万美元。史密斯对大学时提出的隔夜递送小包裹的想法一直念念不忘，他先委托咨询公司对运输市场的形势和前景进行了研究与调查，根据咨询公司提供的美国现有邮政状况，史密斯进一步证明了这一领域具有巨大的潜力。根据咨询公司的调查结果，史密斯立即开始创办真正能够适应高技术时代发展潮流的“隔夜快递”公司。1971 年 6 月 28 日，联邦快递公司正式成立，开始计划用飞机为联邦储备系统快递票据的计划。1972 年到 1973 年初，史密斯投资 75 000 美元组成了由专家、飞行员、技师、广告代理商等构成的高级顾问小组，再次深入地进行市场调查。通过对市场潜力更深入的可行性分析，他们发现，随着新兴技术的兴起，美国传统的工业重镇日趋没落，而那些名不见经传的小地方正在迅速崛起，成为新兴工商业中心，往昔那种一次托运就是几百千克、上千千克，从这一工业区运行至另一工业区的旧的货运传统正在改变。由此，史密斯在对快递服务市场精辟独到的分析基础上，以努力、自信及非凡的领导能力、不可多得的胆识，实现了自己的目标，创造了奇迹。

又如雕爷牛腩，这是由一个毫无餐饮行业经验的人开的一家餐馆。雕爷牛腩花了 500 万元买断香港食神戴龙牛腩配方，只有 12 道菜；每双筷子都是定制、全新的，吃完饭还可以带回家；老板每天花大量时间盯着针对菜品和服务不满的声音；开业前花 1 000 万元搞了半年封测，其间邀请各路明星、达人、微博大号们免费试吃……仅两个月时间，就实现了所在商场餐厅评效第一名，估值 4 亿元人民币。

再如三只松鼠，这是一个淘宝品牌。三只松鼠的产品用带有品牌卡通形象的包裹，附有开箱器、快递大哥寄语、坚果包装袋、封口夹、垃圾袋、传递品牌理念的微杂志、卡通钥匙链以及湿巾等等。2012年6月在天猫上线，65天后成为中国网络坚果销售第一；2012年“双十一”创造了日销售766万元的奇迹，名列中国电商食品类第一名；2013年1月单月销售额超过2 200万元；至2013年底，累计销售过亿元。

[智慧箴言]

很多情况下，发生变化的并不是事物的本身，而是我们做事的方式。

——约翰·奈斯比特

六、新思维与创新创业

新信息时代的来临，已经开始颠覆传统的工业思维，要密切关注新思维对创新创业的影响。让消费者反客为主拥有消费主权，就是信息时代的新思维，也是互联网思维的核心。

富基融通科技有限公司董事长兼CEO颜艳春提出：“我们观察过去20年，PC互联网时代，那些锐意转型、积极投资创新活动、管理良好的、认真倾听顾客意见的企业，仍然丧失了市场主导地位。因为他们依然是停留在‘术’的层面，远远没有建立互联网思维。不是他们的能力不到位，不是他们的资金不够雄厚，而是来自企业整个组织，从创始人、董事长、高管一直到所有一线员工，是否具备完整的互联网思维。”

互联网思维包含以下几方面的内容：

用户思维——在价值链各个环节中“以用户为中心”去考虑问题的思维。

兜售参与感——让用户在参与中去优化产品、参与品牌传播。

体验至上——从细节开始，让用户体验贯穿于每一个细节和品牌与消费者沟通的整个链条。让用户有所感知，并且这种感知要超出用户预期，给用户带来惊喜。

简约思维——在短时间内能抓住用户。简单比复杂更难，必须更努力工作来使得你的思想干净、简单，但这是值得的，因为一旦你做到了，你就可以移山了。

极致思维——把产品、服务和用户体验做到极致，超越用户预期。

迭代思维——从小处着眼，从细微的用户需求入手，在用户参与和反馈中逐步改进。

流量思维——以免费策略极力争取用户、锁定用户，但免费是为了更好地收费。

社会化思维——利用好社会化媒体，站在用户的角度、以用户的方式和用户沟通。

大数据思维——将用户在网络上一般会产生的信息、行为、关系三个层面的数据进行沉淀，注意拥有大数据，便于进行预测和决策。

平台思维——开放、共享、共赢。

跨界思维——大胆尝试颠覆式创新，体现跨界人才的优势，体现科技与人文的结合。

如当听到“中国第一网络食品”，谁会想到这是牛肉干的代名词呢？杭州绿盛集团有限公司将网络游戏的宣传图案印在食品包装袋上，在市场销售的时候也传播网游广告；同时，把首款全 3D 游戏《大唐风云》加入牛肉干的元素，在游戏中开设绿盛牛肉店。游戏中的牛肉干具备“补充体力”“补充魅力”甚至救命的功效。玩家在《大唐风云》的游戏世界里，可以订购真实的牛肉干，并通过配送系统快递到玩家手中。网络游戏的公司与牛肉干生产企业的结合，促进了产品的销售，实现了“虚拟世界中的真实物品交易”。

[智慧箴言]

第三次零售革命即将来临，而移动互联网是这场革命的助推者和主角。

——富基融通科技有限公司董事长兼 CEO 颜艳春

（宫健）

第十三章　团队协作在科技创新中的作用

俗话说，一个篱笆三个桩，一个好汉三个帮；一支筷子易折断，一把筷子抱成团。这就是团结的道理。一个科技创新团队更需要团结协作。在科学技术创新的道路上，要提倡取长补短，优势互补的作用，尤其要扬长避短，强强联合，不仅要有科技攻坚的领军人物，更要有无私协作的团队精神。有国家民族作后盾，有志同道合的创新人才作骨干，有朝气蓬勃无私协作的创新团队，我们的科技创新事业一定会达到胜利的彼岸。

一、独木难撑，团结才有力量

国家主席习近平在 2014 年新年贺词时很动情地说："宇宙浩瀚，星汉灿烂。70 多亿人共同生活在我们这个星球上，应该守望相助、同舟共济、共同发展。"这句话既是对世界的殷切期望，也是对人类的正确指引。其实，大到星球，小到尘埃，每种物质无不“唇齿相依，相辅相成”，因为只有这样宇宙才得以延续。

抬头仰望天空，大雁总是成“人”字或“一”字队形飞行迁徙，这是大雁与生俱来的一种合作的本能。领头雁由身体健壮的大雁轮换担任，它不但掌握着前进的方向，还要用身躯搏击空气的阻力，而幼小的、身体差的大雁则安排在头雁左右两边飞行，前面的大雁扇动翅膀会在空气中制造出很多小漩涡 ，后面的大雁除了靠扇动翅膀飞行之外，还可巧妙地借助这些小漩涡获得上升气流，在天空中滑翔，从而大大节省了体力，使整个雁群有充沛的体能飞行很长很长的路程，完成生命中的一次重大迁移。科学家研究发现，以团队为单位的大雁群飞速度，不但比一只孤雁单独飞行速度快71%，而且还要多飞 20% 的距离。

感谢大雁给我们人类以智慧的启迪，相信我们现代人能够比大雁飞得更高、更快、更远。

1994 年，美国组织行为学家斯蒂芬·罗宾斯首次提出了“团队”的概念：为了实现某一目标而由相互协作的个体所组成的正式群体。富有团队精神的集体可以调动团队成员的智慧和资源，让每一个人都变得更有力量，实现个人无法独立实现的目标。随后“团队协作”理念迅速被全球所接受。

诚然，世界上确有“超人”“孤胆英雄”这样的“个体户”，靠自己的聪明才智独自获得成功，但这毕竟是凤毛麟角，“凡人”还是占绝大多数。特别是当今我们处于多元化的时代，社会分工日益细化、技术及管理等方面日益复杂化，仅凭个人的力量和智慧要想包打天下愈发显得力不从心，即使你是一个天才也独木难撑。

奥巴马个人虽有卓越的领袖才能，但在竞选美国总统时，为了弥补从政经验的不足，专门组建了一个强大有力的竞选团队，帮助他成功当选为美国历史上第一位黑人总统。事实上，早在奥巴马成功当选联邦参议院议员时，就已经开始着力建造一个强有力的辅佐团队。他那时的辅佐阵容要远远高于竞选参议院议员所需要的。从开始他就磨枪备战了。当决定竞选总统后，这一团队则得到了更进一步的加强。而当他在仕途上一路高歌时，又有更多的有志之士投奔到他的麾下，从而让他的团队更加强大。

电脑奇才比尔·盖茨很早就认识到了合作的重要性，他所走的每一步，都不是孤军奋战，从初期程序编制小组的合伙人保罗·艾伦，到阿尔塔 8800 型计算机的发明人艾德·罗伯茨，再到“微软视窗”模式的开发者孔森，直到使微软完全占领欧洲市场的鲍勃·奥里尔，都是他的辅佐者和得力干将，正是这些人的鼎力支持，微软公司才有可能在短短 30 多年的历史里发展成为世界上最大的、最著名的企业之一。因此，比尔·盖茨将“团队协作”总结为微软企业成功的法宝之一，并把它明确地写进员工手册里，要求每个员工“努力工作以实现团队的目标，不仅与同组的员工，也能与公司中其他的团队和个人有效地工作，在采取行动措施和做出决策时要兼顾他人和团队的利益，赢得他人和团队的信任，勇于面对而不回避建设性的冲突”。

独木难撑，团结才有力量。团队合作创造人生的奇迹，团队合作创造事业的辉煌。

［**智慧箴言**］

不论再强大的士兵都无法战胜敌人的围剿，但是如果我们联合起来，就可以战胜一切困难，像行军蚁（美洲的一种食人蚁）一样把阻挡在眼前的一切障碍迅速地灭掉。

——金斯·罗伯特·伍德

二、“拉帮结伙”，与优秀的人为伍

俗话说：“一个好汉三个帮。”组建一个团队，首先要寻找合作者，或者是合伙人，那么，在芸芸众生中，应该找什么样的人呢？美国最成功的青年创业家卡梅伦·约翰逊给出的答案是：与优秀的人为伍。

14 岁的少年卡梅伦·约翰逊，就已经在 IT 领域中初露锋芒了。2000 年，他从 10 万名申请人中脱颖而出，获得了美国“青少年 IT 创业家年度大赛”亚军。

一天，卡梅伦·约翰逊脑袋里蹦出一个新点子：“SurfingPrizes.com”（上网赢大奖）。就是建立一个网站，付费请网友上网，从中获得收益。网友首先要在电脑上安装一个软件程序，只要一上网便看到铺天盖地的广告显示。广告商按每一条广告付费给卡梅伦·约翰逊，而他再从中抽出一部分钱付给网友。经过深入的调研和谨慎的评估、计算，卡梅伦·约翰逊确认自己的想法行得通，并一定能获得丰厚的利润。

卡梅伦·约翰逊为自己的创新点子兴奋不已，可冷静下来，却发现仅靠自己一个人单枪匹马是无法完成的，因为要把这个想法变成现实，必须要有很强专业知识和技术的人才。于是他决定找合伙人和他一起干。

可找什么样的合伙人呢？卡梅伦·约翰逊想起了父亲常说的一句话：“和那些优秀的人在一起，与有才干的人共事。”于是卡梅伦·约翰逊立即打电话给在前不久“青少年 IT 创业家年度大赛”上结识的新朋友，16 岁的冠军阿龙·格林斯潘，请他加盟，不料却遭到了阿龙的拒绝，因为此时的阿龙已有自己的事业了。可卡梅伦并不放弃这位优秀的人才，他毫无保留地把自己的点子告诉了对方。阿龙听后，对这个比自己小两岁的小弟有如此奇妙大胆的想法产生了兴趣，表示愿意一起干。

冠亚军联手了。接下来他们做的第一件事就是再找一个顶级的程序员，因为建立一个网站，是一个非常浩大、复杂的工程，其编程技术远远超过了他们两人所能应付的范围。

他们在网络留言板上留言，到处探询拥有这门技术和经验的人才。很快，一名叫汤米·许的程序员进入了他们的视线。汤米年龄只有 16 岁，可他的程序设计能力超一流的棒，这正是卡梅伦·约翰逊想要的合伙人。

就这样，三个中学生合伙组成了“Surfing Prizes”创新团队，并有了明确的分工：卡梅伦是大老板，团队的核心人物，总管整个项目，包括广告、财务和会计，以及整个商业概念的架构；阿龙是二老板，负责设计网站；汤米是技术总监兼秘书，负责软件开发。三人的股份分配比例分别为 40%，30%，30%。

为了三人能够同舟共济，也为了避免任何一方在未经他方同意的情况下卖掉自己的股份，卡梅伦·约翰逊要求大家签订一份合作协议。于是他们聘请了一个值得信任的法律顾问，为他们起草了一份协议。三人认真看完协议书后，郑重地签上了自己的名字。

随后，卡梅伦、阿龙、汤米一边完成学业，一边建设网站。

经过两个半月的研发准备，“Surfing Prizes”网站正式开张了。不久，华纳兄弟、亚马逊等知名商家都成了他们的用户，不到半年他们的用户来自 60 个国家，18 万人，每天显示的广告达到 1 500 万条，团队每天的营业收入 1.5 万元。

卡梅伦·约翰逊的成功在于他与优秀的人为伍，组建优秀的团队，强强联手，打遍天下无对手。同时，他们有明确的目标，有团队的核心人物，每个成员有明确的分工，而合作协议的签订又把三人结成命运的共同体，使他们同心同德，为公司的发展竭尽全力。

我们可以借鉴卡梅伦·约翰逊选择合伙人的标准：①有相同或相近的价值取向，有共同的兴趣和追求的人；②有高智商、充沛精力和健全人格的优秀人才；③能够优势互补、性格互补、知识互补的人。

[智慧箴言]

要试图雇比自己更优秀的人，最好是在某些方面比你优秀的人。

——李开复

三、团队意识，科技创新的保障

团队意识是我们常说的一个词。究竟什么是“团队意识”呢？团队意识就是一个人与别人合作的有目的的意志品质。有团队意识的人有着大海一样的胸怀，有着金子一样的品质。历史上廉颇和蔺相如“将相和”的故事，千秋传唱，蔺相如的一句话：“国家大局，是将相的共同利益”，让心存私念的将军廉颇猛醒。抗美援朝时期，志愿军战士邱少云为了战斗的胜利，任凭烈火吞噬自己的肉体，动也不动一下，直到最后献出自己的宝贵生命。这种把国家利益、团队利益看得比生命还重要的品格，难道不是“团队意识”的崇高而充分的体现吗？

在绿茵场上，足球队员都在为自己的球队“龙争虎斗”，如果你自视甚高，只想表现自己，不愿意与同伴配合，就算你今天有超常发挥，带球闯过三四个人的围追堵截，单刀直入，破门得分了；就算你今天似有“神助”，扑出了对方必进的点球；就算队里还有身价百万或千万的“球星”，但如果球队最后输了比赛，个人的这些出色技巧和精彩“表演”又有什么意义呢？

2004 年 6 月，美国 NBA 篮球 03-04 赛季总决赛，洛杉矶湖人队对活塞队。湖人队是全美国最知名的 NBA 球队之一，多次获得 NBA 总冠军，当天湖人队派出了 NBA 历史上最豪华的阵容：科比、奥尼尔、马龙、佩顿四大巨星组成的“超级团队”。每一个位置上的球员几乎都是全联盟最优秀的，再加上有传奇教练菲尔·杰克逊，在许多人眼中，这是 20 年来 NBA 历史上最强大的一支球队。而来自东部的活塞队，则是第二次闯入 NBA 总决赛，他们派出本·华莱士、拉希德·华莱士、汉密尔顿、比卢普斯、普林斯五人为核心主力的团队。球队中没有一个巨星，被人称为“草根球队”。两队阵容悬殊如此巨大，看来，比赛结果应该没有任何悬念

了。但赛前传闻湖人队两大全明星球员科比和奥尼尔矛盾不断，主教练菲尔·杰克逊与科比矛盾也日益激化，这让湖人队球迷忧心忡忡。

比赛开始了，“四星”们各自“心怀鬼胎”，都想得到那枚总冠军戒指。为了证明自己才是球队的领袖，在比赛中，他们把球队利益全部抛在脑后，总是想方设法突出自己，炫耀自己高超的球技，全然不与队友配合，更谈不上把自己融入整个团队中了。这时的湖人队如同一盘散沙，完全丧失了战斗力。反观活塞队，华莱士等“五虎”队员团结一心，巧妙配合，越战越勇，很快就以4：1悬殊比分击败了湖人队，取得了本赛季的总冠军。比赛一结束，科比再也控制不住自己的情绪，伤心的眼泪一个劲地往下流。这眼泪已无法改变最后的结局，这眼泪是悔恨的眼泪，是他为丢掉了“团队意识”所付出的代价。

团队意识一旦形成默契协调的整合效能，就能够转化为攻无不克的精神力量，也就是人们常说的“团队精神”。反之，一个团队如果没有凝聚力，这个团队一定是一个平庸的团队；一个团队如果缺少“团队精神”，这个团队必然会走向失败。

科技创新团队，从事的并不是合力搬大石头这样简单的力气活，而是高强度的脑力和体力结合的创造性劳动，需要大量的时间和精力，需要专心致志的思考，需要众人齐心协力激荡的智慧火花，需要群策群力的攻关，反反复复的实验，还要承受许多次失败的打击。如果团员之间离心离德，老想着打自己的小算盘，把有限的时间花在内耗上，其结果只会是遍体鳞伤。在组织涣散、人心浮动的团体里，个人再有雄心壮志，再有聪明才智，也不可能得到充分发挥，更不可能产生创新性的研究成果和培养创新性的人才。

团队组织者或领导者，最大的任务不是使自己多么优秀，而是想办法把一批优秀的人团结在自己的周围，形成一个高水平的科技创新或创业团队；要为这群优秀的人提供具有凝聚力的环境，让他们觉得这个团队，是他们施展才华的平台，是实现自己价值最大化的地方。作为领导，还要尽量一碗水端平，做到公平，真心诚意尊重和关心下属，解决他们的实际困难，从而让成员发自内心地跟随你为团队的共同目标奋斗。在金钱方面别太抠门，该给的钱一定要给，否则会给团队带来不稳定因素。某高校两个很能干的博士，一起从李教授科研团队跳槽到了张教授的团队，有人私下问他们为什么，他们说：李教授太小气，从不给出差补助，更不要说逢年过节请大家吃饭了，要知道该项目资金可是好几百万元呀。

团队中的伙伴，都有着共同的梦想，共同的事业，共同的目标，因此，大家要携起手来，精诚团结，共创大业。作为团队一员，我们要树立“团队利益”高于一切的思想，把“团队精神”融进血脉，工作中要相互支持，不拆台；相互

配合，不推诿；相互尊重，不刁难；相互理解，不抱怨。大事上，讲原则，小事上，不计较。只有这样，才能使整个团队在思想上同心，在目标上同向，在行动上同步。才能让团队走向成功。

科技创新离不开具有团队精神的人，而团队精神是科技创新的必然保障。

［智慧箴言］

对于一个团队来说，团队精神的形成并非一日之功，而是日积月累的沉淀。唯有团队成员都具备团队合作的能力，团队精神才能形成。

——冯仑

四、团队强大了，你才会强大

创新团队的成员，或许个个都是“小龙”，他们有聪明的大脑和很强的本领，有的甚至“身怀绝技”，否则就不会被请出“江湖”。可是，只有当这些“小龙”联手合作，齐心协力，为团队赢得胜利的时候，他们才能成为一条真正的“龙”。

现今中国，恐怕没有多少人不用QQ聊天的，也几乎都认识QQ的形象代言人“小企鹅”。可“小企鹅”之父是谁呢？想必知道的人就不多了。他就是腾讯计算机系统有限公司首席执行官——马化腾。

1998 年，马化腾和他的同学张志东、曾李青、许晨晔、陈一丹“合资”注册了深圳腾讯计算机系统有限公司，马化腾为公司经理。创业之初，腾讯只是一个单纯的即时通信服务提供商，经过 10 多年的打拼，腾讯已发展为一个集即时通信、电子商务、搜索、网络媒体、在线游戏、增值业务、互动娱乐等为一体的综合性互联网公司，是亚洲最大，世界第二的互联网即时通信服务提供商。而他们打造的“QQ 帝国”，不但改变了人们的沟通方式，还创造了中国网络领域一个经典的神话。当初和马化腾一起创业的几个小伙伴至今仍在腾讯抱团发展，成了公司的高层主管。当他们齐心协力，把腾讯打造成互联网“航空母舰”的同时，自己也“名利双收”了。

随着“小企鹅”成为亿万网民的明星，腾讯为千家万户所知晓，马化腾也创造了他职业生涯的辉煌：2004 年荣获 CCTV 中国经济年度人物新锐奖；2006 年入选国际经济组织，达沃斯经济论坛“全球青年领袖”；2014 年资产净值达到 130 亿美元，成为中国内地新首富。

亲爱的朋友，当马化腾和腾讯融为一个整体的时候，你能说得清楚是腾讯造就了马化腾，还是马化腾成就了腾讯呢？他们的合而为一，不就是 团队和“我”的完美结合吗？

因此，当“我”进入一个团队后，只有把个体的“我”

融入团队，把团队的利益放在第一位，高举“团队”的大旗，信奉“团队胜利”的宗旨，并精诚合作，全力以赴，才能在这一过程中实现自我价值的最大化，和“团队”共赢。因为，只有团队强大了，你才会强大。

［**智慧箴言**］

一滴水只有放进大海里才永远不会干涸，一个人只有当他把自己和集体事业融合在一起的时候才能最有力量。

——雷锋

五、团结协作，让和谐来护航

在一个创新团队中，有你、有我，还有他，或是老熟人，或是刚进来的新伙伴，大家为了一个共同的目标走到一起。由于个人的经历、家庭背景、知识结构等的不同，使得每个人的性格有所不同，而性格的差异化就像合唱中的几个声部，有唱高音部的，有唱中音部的，还有唱低音部的，合唱队员必须明确自己声部在合唱中的地位、作用，大家相互配合，谐调一致，才会唱出动听的歌曲。因此，彼此尊重和欣赏，相互理解和包容是团结合作重要的基础。

有人说“差异是一种美”。的确，性格的差异化为团队带来了灵动之美，同时也意味着产生误解的可能性加大。这就需要我们好好地解决团队差异与沟通的问题。

1. 首先要尊重差异，彼此欣赏

在动物世界中，狼族的社会组织遵循着一定的社会阶级模式，组织内部有严格的等级制度，是最注重整体的物种。当黑夜笼罩大地，整个狼群集体仰天号叫的时候，每一只狼都可以张扬自己的个性，发出与伙伴不同的，属于自己的独特声音，并与自己的群体形成一个完美的和声，即使权力最高的首领狼也无权要求等级比自己低的狼模仿自己，发出和自己一样的声音。

尊重每一只狼不一样的号叫，这就是狼群中个体狼与团队的和谐表现。

我们每个人都是一个独立的“个体”，有自己的思想和习惯，因此我们不能处处按自己的标准来要求别人，让对方事事合自己的心愿。而是应该学会从对方喜欢的角度来欣赏对方。比如你的一个队友是左撇子，你看不惯，一定要别人改成右撇子，这就有点强人所难了，两人非闹矛盾不可。如果我们换种方式来欣赏对方，对他说：“多用左手好呀，这样可以锻炼右脑，增强自己的形象思维。”相信对方听了你的这番话，会很高兴，以后你们的合作和相处一定也会愉快。

2. 其次要善于交流和沟通

一把大铁锁锁住了关闭的大门。一根铁钎来了，使出了浑身劲也无法把锁打开，正当它不知所措的时候，小钥匙来了，它把自己身子钻进锁孔，然后轻轻一转，铁锁“啪”的一声就打开了。铁钎不解地问钥匙：“为什么我费九牛二虎之力打不开的锁，你却轻而易举就打开了呢？”钥匙说：“因为我懂得它的心。”

团队中我们也需要这把“小钥匙”，通过沟通和交流，打开良好人际关系的大门。

能够有效地沟通和交流，能够清楚地传递信息、表达自己的观点和想法，增加团队成员的彼此理解。如果缺少了沟通与交流，猜疑和误解就会乘虚而入，在成员之间形成感情屏障，让“团结协作”成为一句空话。因此，这就需要我们拿出一定的时间，用真诚的心，用发自内心的理解和尊重去沟通和交流。

有了小钥匙我们还要懂得开锁的方法，因此，掌握一些沟通和交流的技巧也很有必要。

在与队友沟通和交流之前，要想一想说些什么，怎样说才能达到你想要的目的。在交流的时候，最好先找到一个契合点，从双方感兴趣的话谈起，“热热身”后，会让对方感到轻松、愉快，再进入沟通区。同时，要善于倾听对方的意见，懂得察言观色，该说的就说，不该说的就不说。记住永远不要去直接指责对方，需要指出对方错误的时候，应以不损害对方自尊心为前提，或用暗示法，或用提醒法，用委婉的语言来表达；当你的意见和对方不一致的时候，可以试试这样说：你看这样好吗?

沟通和交流是互动的，要给对方留足说话的空间，不要只顾自己滔滔不绝说个没完。另外还要控制好交流的时间，不要让对方感觉烦了，看时间暗示你该结束了，你才起身告辞。

3. 学会“宽容和妥协”

沟通和交流中，还有一点很重要，就是学会“宽容和妥协”。这是一个人豁达，有修养的品格，是智者成熟与自信的表现，是对人、对事的包容和接纳。

19 世纪法国大文学家维克多·雨果说：“世界上最宽阔的是海洋，比海洋宽阔的是天空，比天空更宽阔的是人的胸怀。”而胸怀的博大，源于一颗宽容之心。在团队中，我们放平心态，不要唯我独尊，争强好胜，不要老觉得自己比别人都能干；在非原则问题上，要善于理解和包容。有句话说得好：“处世让一步为高，退步即是进步；待人宽一分是福，利人实是利己。”

当然，善于“妥协”并不是一味地忍让和无原则地妥协，而是意味着将对方的利益看得和自身利益同等重要。在当今社会里，人与人之间的尊重都是相互的，平等的。只有尊重他人，才能赢得他人的尊重。当你和别人发生矛盾并相持不下时，你应该顺势做一些妥协，主动化解矛盾。这并不表示你软弱而失去尊严，相反，别人会因为你的大度而对你产生敬意。由此，你在赢得了更多人的尊重的同时，也收获了友谊的种子。

在平时的工作中，我们也要注意自己的言行，利于团结的话就说，不利于团结的话就不说。不要把矛盾制造出来了，再去拿“小钥匙”来解决。

平时尽量避免和人争论。

有时候为了工作发生矛盾时，首先你要保持冷静和克制，千万不能图自己的一时之快，说出伤害对方自尊心的话，或让对方在众人面前下不了台。事后，一定要及时、主动地找到对方，心平气和地进行沟通，最好不要让“矛盾”过夜。记住：在任何场合下，都要考虑给对方面子。

不要在背后议论队友。

俗话说“祸从口出”。我们要好好管住自己的嘴巴，千万不要在背后议论队友，这是非常不利于团结的行为，也是队友之间最大的忌讳。它不仅会伤害到别人，还会给自己惹来一身的麻烦，失去队友的信任。即使有人先开头，你也别接嘴，更不能一起议论。最好的方法是把话岔开，或找借口离开，让说的人自讨无趣。

创新人才，只有在团队和谐的氛围里，才能专心工作。和谐为科技创新营造舒心的氛围，和谐为科技创新之轮注入快速运行的润滑剂。而这些都是需要我们用心来经营的。

［智慧箴言］

美的真谛应该是和谐。这种和谐体现在人身上，就造就了人的美；表现在物上，就造就了物的美；融汇在环境中，就造就了环境的美。

——冰心

六、人尽其才，给科技创新加油

电视片《西游记》主题歌唱道："你挑着担，我牵着马……敢问路在何方，路在脚下。"这是影片的点睛之笔。唐僧是唐明皇钦定的"西天取经团队"领导，团队还有三个成员：孙悟空、猪八戒、沙僧，他们个性鲜明，性格迥异，优点和缺点都很突出。孙悟空聪明、活泼，勇敢、疾恶如仇，但不太听领导的话；猪八戒虽然自私心重，好吃好色，但性格随和，讨人喜欢；沙僧不多言不多语，任劳任怨，虽然犯错不多，但比较呆板，不够灵活。尽管一路矛盾不断，但他们之间懂得优势互补，因此，师徒四人团结一致，坚定地朝目标前进，终于求得真经。

如果你是领导，是否可以这样用他们：孙悟空负责保安，猪八戒负责公关，沙僧负责后勤。当然，这只是一句开玩笑的话。

"取尺之长，彰显了寸的灵巧；取寸之短，又褒扬了尺的长度，于是尺寸合作使工之器愈利，使工之事愈善。”在一个团队中，团队成员一定要有明确的分工，并在才能上互相补充，如果每个人都能把自己的特长发挥出来，使之产生协同效应，就一定能够完成共同的目标任务。

某高校红队和蓝队进行一场攀岩比赛。两队来到比赛现场，红队领队把大家召集在一起，用富有感召力的声音，鼓励队员们发扬奋勇拼搏的精神，齐心协力，争取胜利。蓝队则在一旁，围着领队在讨论什么。比赛开始了，红队先是一马当先，但随后，小个子的同学和两位女同学却碰到几个障碍，一度无法继续攀登，但最后大家还是同心协力排除障碍，完成了攀岩任务，用时 37 分钟。

再看蓝队，他们按照比赛前制定的战略，根据团队中队员个人的优势和劣势进行了精心安排：第一个“领攀者”的是动作灵活的小个子王同学，第二个是位高个子的李同学，女同学和速度较慢的同学被安排在中间，最后出场的是张同学，这是一位经验和速度双全的同学，结果蓝队用时 32 分钟，完成了比赛，取得了胜利。

赛后总结，红队的失利在于没有很好地发挥本队队员的优势，结果劣势还是劣势，优势也不再是优势了，这样的团队在竞争中很容易被淘汰。

攀岩比赛是这样，一个团队又何尝不是这样呢？在团队中，不可能每个人都是全才，样样事都能干。既然如此，那么我们每个成员就应发挥自己的强项和优势，下功夫把强项做到最好，让个人的优势集中成为团队整体优势。

作为一个团队的领导者，要善于发现队员的长处，把他们放在适当的岗位上。重视和重用他们的才能，通过人尽其才的运用，使整个团队有非常好的发挥与表现。

2001 年度国家最高科学技术奖获得者，中国著名的计算机专家，被称为当代“毕昇”的王选，他所领导的科研创新团队，研制出的汉字激光照排系统，为新闻、出版全过程计算化奠定了基础，被誉为是中国“汉字印刷术的第二次发明”。在总结自己 30 多年的科研工作时，王选说：“认识自己的不足，善于看到别人（尤其是同事）的长处，是具有良好的团队精神的基础。懂得要依靠团队，千方百计地为优秀的年轻人创造条件，使他们脱颖而出，是我能够获得最高科技奖的原因之一。”王选是这样说的，也是这样做的。

王选在从事汉字激光照排系统等重大科研项目的时候，他除总体设计外，还负责激光照排的核心部件——栅图像处理器，英文简称 RIP。在研发过程中，他看到吕之敏老师在电路和仪器使用方面能力很强，就让她负责 RIP 的调试。另外，王选还了解到团队中有个叫汤帜的研究生对技术的痴迷程度超过常人，编写的程序极少出错；年轻教师肖建国对用户的需求十分敏感，对软件的可靠性十分重视；阳振坤非常熟悉 RIP 的输出技术；向阳则的长处在于组织生产和主

持设备现场安装调试方面……作为团队领导的王选毫不犹豫地把他们安排在合适的位置，给予他们充分信任，任命时年36岁的肖建国为彩色图像研究室主任、同为28岁的汤帜和阳振坤分别为电子排版研究室主任和RIP输出研究室主任。发挥他们的优势，让这些优秀的科研人员在团队中如鱼得水，施展自己的聪明才智，为研发激光照排系统立下了汗马功劳。如今肖建国正担任方正集团首席技术官，汤帜则是方正电子网络传播事业部的技术总监。

优秀的科技人才难求，优秀的科技创新团队更是难求。而当这些优秀人才出现在我们团队的时候，我们要好好尊重他们，相信他们，为他们营造好的创新氛围，充分发挥他们的强项，这样才能让科技创新结出优质之“果”，因为个人的成功与团队的成功是紧密相连的，他们个人的智慧之和就是团队的智慧。英雄创造历史，英雄也打造英雄的团队。

［**智慧箴言**］

在这个世界上生存本身就意味着上帝赋予了你奋斗进取的特权，你要利用这个机会，充分施展自己的才华，去追求成功，那么这个机会所能给予的东西要远远大于它本身。

——比尔·盖茨

七、成功团队，八面镜子来对照

科技创新团队的质量，直接关系着科技创新的成败。而一个成功的团队必定是科技创新结“硕果”的关键。那么，什么样的团队才算是成功的团队呢？也许你我的标准不完全一样，但有些基本的原则是一致的，这里有八面镜子，大家可以照一照。

1. 第一面镜子：有称职的组织者

身上散发着人格魅力，在学术上或某一方面让人佩服，有号召力和领导能力。队员能够发自内心地跟随你为团队共同目标而奋斗。组织者有能力为团队确立目标，并把握实施的进程，保证每个环节正常运转，以达到保质保量完成目标任务。还要善于发挥每个队员的优势，调动他们的创新潜能。同时，自己以身作则，勇于承担责任，公平公正地处理问题，信任和关心队员，能为团队营造一个团结友爱，和谐宽松的创新环境。

2. 第二面镜子：有明确的团队目标

每一个成功的科技创新团队都有一个清晰明确的共同目标，指引着团队的方向。这个共同的目标，可以使成员相信最后一定能得到很有价值的成果。因此，每个团队成员就会把自己的工作和整体目标联系在一起，把自己的利益和团队的利益结合在一起，并贡献出自己的热诚及努力。

他们不但牢记团队总目标，还明白每个阶段的目标，清楚自己具体的目标任务，以及难易程度、完成的进度和时间，达到的效果。同时，每个成员还应有明确的责任分工，实施计划，定期检查的习惯。大家齐心协力为团队共同的目标而努力。

3. 第三面镜子：有很强的执行力

每个成员不但清楚团队的总目标，还明白每一个阶段的目标，自己目前的工作任务和责任范围，明白各个目标完成的时间表，以及达到的效果。他们能够按照计划，保质保量，不遗余力地去完成，决不拖后腿。当遇到工期紧时，他们会自愿放弃休息时间，加班加点，通宵达旦地工作；当遇到困难时，他们自己会想尽办法去克服、去解决，队友之间也会互相支持和帮助，保证按时完成任务。

4. 第四面镜子：有积极向上的好风气

积极向上的好风气，是一种正能量。这种正能量能够压倒歪风和邪气；这种正能量能够让每个队员感到一种对工作的激情，一股无形的力量，推动着自己向前进。因此，团队中，队员们不甘平庸，追求卓越，不断学习新知识，自觉严格要求自己；在工作中，每个成员既有分工又有合作，并彼此熟悉分工合作的部分，相互支持，相互配合，争取把自己的工作做得最好。因为他们明白，自己的高质量，就是团队总目标高质量；自己出色了，团队才出色。

5. 第五面镜子：有和谐的工作环境

团队像一个温暖和谐的大家庭，成员之间关系融洽，团结友爱，互相尊重和关心，互相信任和支持。对待问题，可以各抒己见，可以进行激烈讨论和发表不同的建议，但又能顾全大局，不伤和气，服从团队整体的决策和安排。

团队中每一个人，能够集中精力，专心做好自己的工作；队员之间没有什么嫉妒、钩心斗角、搞帮派、搬弄是非之类的事发生。

6. 第六面镜子：有团队意识

团队合作，是为了调动团队成员所有的资源和才智，实现 1 加 1 大于 2 的价值。团队意识是全体成员的向心力，凝聚力。当这些来自团队成员自觉的内心动力，来自共同的价值观的时候，一定会产生一股强大而持久的正能量。一个团队没有合作的精神，无异于一盘散沙，只要稍有外力打击，便会溃不成军。而有了“团队意识”，就能使一支较弱的团队有可能成长为强者，使原有的强团更加强大。

7. 第七面镜子：有志同道合的伙伴

团队要成功很重要的因素是团队成员应具有两项必备的能力：一方面有过硬的技本，能够胜任自己的工作，独当一面；另一方面，有较高的情商，善于沟通人际关系，有陈述观点和解决问题的能力。

8. 第八面镜子：有外界的认同与支持

组建科技创新（创业）团队的目的，是为社会创造有价值的成果，这是团队的终极目标，也是团队用成果证明自己成功的唯一标准，而外界也是通这个成果来认识一个团队的。因此，成功的团队能够得到外界的认同与经费支持，这有利于团队的可持续发展，也有利于对把团队做大做强奠定良好的基础。

［智慧箴言］

微软企业成功的六大法宝：

①着眼于长远利益；

②卓有成效；

③对产品和技术的热情；

④注重客户反馈；

⑤个人精益求精；

⑥团队协作。

八、创新团队，有国家撑腰

写下题目，不由想起一首诗歌的名字——“我骄傲，我有强大的祖国”，现在把它套用改为“我创新，因为我有强大的祖国”。

2013 年 12 月，国务院总理李克强来到天津金融创新、青年创业棚户区考察时，鼓励围在他身边的年轻创业者说："凡涉及政府层面的问题，都可以研究调整，创造条件，政府会给你们创业'增加营养'。兄弟齐心，其利断金，未来创业空间会越来越大，希望大家努力把企业做大做强。"可不是吗？为了提高国家自主创新能力，建立国家创新体系，每一年国家都拿出了巨额的资助经费，用于支持更多的科技创新团队。让你只管创新没有后顾之忧，只要你的创新团队有好的点子，就可以申请经费的资助。

不同级别的创新团队所获得的资助经费是不一样的。下面向青年朋友作一简单的介绍，大家也可以在网上查查，详细了解了解。

（一）国家级资助

1. 创新研究群体科学基金

创新研究群体科学基金是国家自然科学基金委员会（简称国家自然科学基金委）设立的，主要资助国内基础科学的前沿研究，培养和造就以科学家为学术带头人、优秀中青年科学家为学术带头人和骨干的具有创新能力的人才研究群体，围绕某一重要研究方向在国内进行基础研究和应用基础研究。

创新研究群体科学基金采取由部门推荐的方式产生候选群体，负责推荐群体的部门是：中国科学院、教育部、中国科协和国家自然科学基金委。

创新研究群体应具备以下条件：研究群体各成员应有相对集中的研究方向和共同研究的科学问题，在长期合作的基础上自然形成研究整体（10 人左右）。研究群体的学术水平在国内同行中应具有一定优势。研究工作已取得突出成绩，或活跃在某一基础研究领域的前沿并具有明显的创新潜力。研究群体的学术带头人应具有较高的学术造诣和较好的组织协调能力，在研究群体中有较强的凝聚作用。研究群体一般应有 3 ~ 5 位研究骨干，应具有合理的专业结构和年龄结构，勇于探索，敢于创新，有团结协作的精神；一般应获博士学位或具有相当副教授级以上（含副教授级）的专业技术职务。研究群体所在单位有良好的支撑环境，学术带头人和研究骨干有充分的时间和精力从事本项基金资助的研究工作。

2. 科技型中小企业技术创新基金

科技型中小企业技术创新基金是经国务院批准，由中国科学技术部会同财政部共同实施的，用于支持科技型中小企业技术创新的政府专项基金。通过拨款资助、贷款贴息和资本金投入等方式扶持和引导科技型中小企业的技术创新活动。

申请创新基金支持的项目需符合以下条件：

（1）符合国家产业、技术政策；

（2）技术含量较高，技术创新性较强；

（3）项目产品有较大的市场容量、较强的市场竞争力；

（4）无知识产权纠纷。

3. 创新团队发展计划

这是教育部启动的最高层次项目，由科技司组织实施，资助范围限于全国普通高等学校，目的在于充分发挥优秀人才的综合优势，提升高校的创新能力和竞争实力，推动高水平大学和重点学科建设。该计划每年遴选支持 60 个创新团队，资助期限为三年，每个创新团队资助经费合计 300 万元。

创新团队的基本条件有：

（1）主要从事以探索未知世界、认识自然现象、揭示客观规律为目的的开创性、探索性研究；对经济增长、社会进步和国家安全有重要战略意义的基础性、前瞻性研究；自然科学与社会科学交叉的前沿科技研究；有明确的技术路线、能产生重大经济或社会效益的关键技术创新和集成创新。

（2）创新团队一般以国家实验室或近五年内经过国家评估且结果为优良的国家重点实验室（国防科技重点实验室）、教育部重点实验室以及业绩优秀的国家或教育部工程化基地和国家重点学科为依托，承担国家重大科技任务，具备良好的工作氛围和环境条件，团队带头人及成员有充分的时间和精力从事本计划资助的研究工作。

（3）创新团队带头人应具有高深的学术造诣和创新性学术思想，品德高尚、治学严谨，具有较好的组织协调能力和合作精神，在研究群体中有较强的凝聚作用。一般应为在本校科研教学第一线全职工作的两院院士、长江学者、国家杰出青年科学基金获得者、“百人计划”入选者、国家重大项目主持人或首席科学家等中青年专家。

（4）创新团队的学术水平在高等学校同行中应具有明显优势，研究工作已取得突出成绩，或具有明显的创新潜力。

（5）创新团队应是在长期合作基础上形成的研究集体（10人以上），具有相对集中的研究方向和共同研究的科技问题，以及合理的专业结构和年龄结构。

（二）省（市）级资助

各个省（市）地方政府纷纷出台并实施了相应的创新团队支持办法，加大引进高层次人才和培养优秀青年学术骨干的力度，纷纷启动了对“科技创新团队资助”计划。

为加快青年科技创新研究团队的建设，进一步发挥学术技术带头人等领军科技人才的带动作用，培养一批优秀的青年创新人才，更好地为地方社会经济发展提供人才支撑，四川省科技厅就设立了“四川省青年科技创新研究团队专项计划”。资助的青年创新团队以三年为一个周期，每个团队经费支持100万元。

（三）校级资助

中国每个高等院校为推进创新学术团队建设，提升学术水平和学术实力，都在实施“人才强校”战略。根据本校自己的实际情况，制订了各自相应的措施和管理办法，来培育和资助创新团队。

不管是什么级的“创新团队”，都要尽量申请经费的资助，以保证团队没有后顾之忧。虽然只要符合申报条件，都可以申请。但要让申请得到批准，还是要下一番功夫的。

在申报前，要认真做做功课，具体上网查查，跑跑本单位或上级的主管科技部门。自立的创新或创业团队，可亲自去一趟省市科协（或厅、局），咨询清楚资助的政策和项目。特别是相关的文件要一字一句认真阅读，找到对团队有帮助的内容。

总之，要获得国家的资助经费，首先，最重要的是团队要有创新的项目；其次，团队要有申报的实力。

［**智慧箴言**］

比尔·盖茨和乔布斯都是从小公司起步。大学生青年不仅要泡实验室、图书馆，也要有创业理念，把创新和创业结合起来，为自己、也为社会和国家创造财富。

——李克强

九、跨团队协作，共同攻坚克难

一个人要成就一番事业要借助团队、融入团队，一个公司、一个企业同样如此。团队有团队的精神，那就是团结、共处、协作、发展的精神。为了一致的目标走到一起，为了相关的愿望共同达成。英特尔（Intel）是微软的合作伙伴，组成了 Mitel 联盟，两家公司经常举行高层互访和合作会议，一起制定企业战略；微软也与苹果合作紧密……跨公司协作为微软的成功起到了不可估量的作用。对于一个企业来说，团队间合作是如此重要，对于科技创新又何尝不是如此呢？

有些科技创新项目，涉及不同的学科，不同的领域，单靠一个团队是无法完成的，因此它就需要多个的团队通力合作才能攻下难关。

2006 年 2 月，由复旦大学生命科学学院遗传学研究所郑兆鑫教授领衔，复旦大学、上海市农业科学院、浙江省农业科学院、中国农业科学院兰州兽医研究所紧密合作，坚持了 22 年的科研攻关，共同研制的“猪口蹄疫 O 型基因工程疫苗”通过了科技部、教育部鉴定。评审专家一致认定，该项目不仅解决了一道世界性的攻而未克的难题，而且使我国在该领域的技术成果居国际领先水平。这项成果的取得，不但凝聚了几十位科研工作者的心血，同时也是多个科研创新团队齐心协力共同奋斗的结果。正如郑兆鑫教授说：基础研究要真正实现应用价值、社会价值，为国家发展服务，就必须打开门做科研，就必须合作。而一支跨学科、跨领域的合作团队发挥了至关重要的作用。

由于猪口蹄疫 O 型基因工程疫苗的关键指标是有效性和安全性，研究每获得一点进展，都需进行大量试验检验疫苗效能。项目周期长、涉及领域宽，需要得到多方的支持，郑兆鑫教授与复旦大学的遗传学、微生物和生物化学等不同学科组建立了科研合作平台，同时还前往兰州、甘肃、内蒙古等地找合作伙伴。根据不同的学科互补，最后形成6个科研团队，每个团队都有一位教授领衔。即：第一个核心研究团队为“猪口蹄疫O型基因工程疫苗基础性研究”，由郑兆鑫教授亲自挂帅，固定两名教授、一名讲师、一名技术员的骨干力量长期参与，瞄准世界尖端技术，牢牢把握科研进度，并对已有成果实行跟踪改进；第二个是上海市农科院徐泉教授的团队，承担动物实验的设计、检查工作；第三个是复旦大学微生物系郭杰炎教授的团队，负责疫苗从遗传工程的科研成果转化为工业产品，为基础研究和工厂应用间搭建桥梁；第四个是农科院赵洪兴教授的团队，主要为项目的各阶段发展、经费申请作策划；第五个是浙江农科院盛祖恬教授的团队，负责疫苗应用在猪身上的实验；第六个是中国农科院兰州兽医研究所卢永干教授的团队，负责为疫苗做一整套符合国家资质与标准的检测程序。

与此同时，复旦各个基础性学科设立的工作组也为学科间的交叉合作架起了桥梁。各个工作组之间不仅实验室相互敞开，而且交流合作的项目非常频繁，因而无形中使单一项目的团队就凝聚起了全校各个学科团队的力量。比如，在研究中，遇到蛋白质怎么能够提炼得更纯，细胞培养怎么做得更好等问题就可以直接请教其他工作组的专家教授，或者直接由其他工作组帮助实践。

正是这些跨学科、跨领域团队的通力合作，为“猪口蹄疫O型基因工程疫苗”的研制成功做出了重要的贡献，也为研究成果走出实验室，走向市场提供了可能。

跨团队的合作，形成跨学科的共识，凝聚跨团队的精神，成就跨领域的事业，实现跨文化的愿景。

跨团队的合作，是个体向群体的突破，是群体与群体间的超越。

跨团队的合作，其核心在团队，体现的是协作与合作，追求的是有容乃大；其过程在突破，彰显的是朝气与活力，追求的是成长的卓越；其魅力在价值，展现的是人格之美，奋进之美，追求的是至善至美。

［**智慧箴言**］

大厦之成，非一木之材也；大海之润，非一流之归也。

——冯梦龙

（李庆雯）

第十四章　科技创新与制度保障

科技创新是人类对于发现的再创造，是对于物质世界的矛盾再创造。任何一次成功的科技创新，都会经历一条铺满荆棘的曲折道路，没有例外和偶然。

科技创新的主体是人，而人的自然属性和社会属性正是创新的最原始动力。个人理想抱负、金钱财富、名誉地位……无不激励着一代又一代的天才们拼搏奋斗，人们心中始终有那么一幅蓝图，历尽千辛万苦，熬尽春夏秋冬，最终的胜利彼岸一定铺满了鲜花和黄金。

然而事实真是如此吗？历史的悲剧一再告诉我们，这个世界除了阳光，还有各种争斗和意外。

一、从电话专利权百年之争谈起

电话，是 18 世纪最伟大的发明之一，而它的发明人专利之争，却持续了 100 多年。从 19 世纪 50 年代起，就有一

批科学家受电报发明的启发，开始了用电传送声音的研究。在这批人中，有美国人贝尔、格雷、爱迪生、法拉，德国人李斯，法国人波塞尔，意大利人墨西等。

贝尔在美国专利局申请电话专利权是1876年2月14日，专利获得通过的时间是3月7日，专利号为174465。而就是他提出申请两小时之后，一个名叫格雷的人也走进专利局，也申请电话专利权。格雷的原理是利用送话器内部液体的电阻变化，而受话器则与贝尔的完全相同。翌年，即1877年，爱迪生又取得了炭粒式送话器的专利。三者间的专利之争错综复杂，直到16年后才算告一段落。造成这种局面的一个原因是，当时美国最大的西部联合电报公司买下了格雷和爱迪生的专利权，与贝尔电话公司对抗。

长时期专利之争的结果是双方达成一项协议，西部联合电报公司完全承认贝尔的专利权，从此不再染指电话业，交换条件是17年之内分享贝尔电话公司收入的20%。

然而在100多年后的2002年6月16日，美国众议院通过表决，推翻了贝尔发明电话的历史，承认梅乌奇是发明电话的第一人。梅乌奇是一位贫穷的佛罗伦萨移民。1808年生于意大利，1850年移居美国纽约，并加入美国国籍。在研究用电击法治病的过程中，他发现声音能以电脉冲的形式沿着铜线传播。他在1850年移居纽约后继续这项研究，并制作出电话的原型。1860年，他公开展示了这套装置。当时纽约的意大利文报纸报道了这一消息。

但梅乌奇穷困潦倒，以至拿不出 250 美元为自己的“有声电报机”申请专利。后来，他把一台样机和记录有关技术细节的资料寄给了西方联合电报公司。1876 年，贝尔申请了电话发明专利，并与西方联合电报公司签订了一项获利丰厚的合同。

随后，梅乌奇对贝尔提出起诉，就在有胜诉可能的时候，命运多舛的梅乌奇却与世长辞，诉讼也随之终止，这一年是 1889 年。就这样，这场电话发明权之争便成为一桩历史悬案，百年后又为人们所重新提起。

不过，就在美国众议院作出决议之后仅 5 天，加拿大众议院迅速做出反应，指责美国为了政治原因篡改历史。加拿大众议院效仿美国国会于 2002 年 6 月 21 日正式通过决议，重申贝尔是电话的发明者。看来电话发明权之争一时还难以平息。

下面，让我们再把目光转向有科技摇篮之称的美国硅谷。

著名 IT 网站 PC World 近期刊文，列举了硅谷历史上最著名的五起科技专利诉讼案件，其中包括图形用户界面的发明权之争、UNIX 系统代码版权闹剧、黑莓手机侵权事件、英特尔芯片殃及 PC 生产商，以及微软 Word 软件差点遭禁售。

PC World 的文章中指出：想象一下，微软不出售

Windows 操作系统和 Word 软件，没有人使用黑莓手机，英特尔芯片被强行退出市场，所有使用 Linux 的公司都得向一家名不见经传的公司支付高额使用费，会是一个什么样的世界？

当然，这样的世界并不存在，但如果上述 5 起重大专利侵权案件的结果发生改变，那么这种假设就将成为现实。最近，苹果起诉谷歌 Nexus One 智能手机的生产商宏达电，有人认为这是律师需要关心的问题。确实，大多数专利侵权案件都在支付高额赔偿金的情况下得到和解，没有对科技行业产生巨大影响。

尽管如此，以高科技领头羊自居的硅谷仍然有大量的专利诉讼案件。Fenwick & West 律师事务所的专利诉讼律师沙琳·莫罗表示，一方面，这些案件有利于保护独立企业家或业界巨头所研发的知识产权，但另一方面也导致硅谷企业浪费了大量的资金，而这些资金原本可用于推动创新研发。

以上众多鲜活的例子，无一例外地说明了一个严肃问题——“科技创新的制度和保障”。

当今世界，科学技术日益成为经济社会发展的主要驱动力。从制度上保障科技人员发挥自主性、积极性和创造性，是科技进步的关键。科技创新与制度保障主要包括创新发明的优先权问题、知识产权保护问题以及专利制度。

[智慧箴言]

无论你在哪儿找到的发明家，无论你给他财富或夺走他的一切，他都会继续埋头于发明创造。他无法不去发明，就像他无法不思考或不呼吸一样。

——贝尔

二、创新发明的优先权问题

优先权原则源自1883年签署的《保护产业产权巴黎公约》（简称《巴黎公约》），其目的是为了便于成员国国民在其本国提出专利或者商标后向其他成员国提出申请。所谓优先权是指申请人在一个成员国第一次提出申请后，在其他成员国提出同样的申请，在规定期限内应该享有优先权。换句话说，申请人提出的在后申请与其他人在其上次申请日之后就同一主题提出的申请相比，享有优先的地位，这也是优先权一词的来源。

《巴黎公约》中的优先权并不是对公约所指的一切工业产权全部适用，它只适用于发明专利、实用新型、外观设计和商标。而对于商号、商誉、产地名称等则不适用。主张优先权的前提条件是已在一个成员国内正式提出申请。所谓正常国内申请就是指能够确定在该国提交申请日期的一切申请，而不问该申请结果如何。凡依照任何成员国国内法或成员国之间签订的双边或多边条约规定属于正常国别的申请。

发明专利和实用新型的优先权申请期限为 12 个月，外观设计和商标的优先权申请期限则为 6 个月。

众所周知，科学界存在三个方面的冲突：来自科学活动固有的认识论和方法论方面的科学争论和优先权之争。而科学活动是一种创造性的劳动，创新是科学家最重要的科学精神，其表现形式就是科学发现的优先权、技术发明的专利权。

当两个或以上的科学家同时宣布他们做出了一项科技发明或成果时，优先权问题就显得尤为重要。一般来说，科学家属于专心研究淡泊名利的人群，但在优先权的争夺上，绝大多数的科学家都表现得寸土必争，因为这代表着个人心血和能力的最终认可。可以说，正是优先权的存在，从而激发了奥林匹克式的科学竞争精神。

要真正区分优先权，有时候很困难。人们把很多科学家互不知情而同时独立实现了科技创新、发明以及发现的现象称为“多重独立发现（发明）”。例如，牛顿与罗伯特·胡克就万有引力定律的优先权的争执，牛顿与莱布尼兹就微积分发明的优先权的争执，亚当斯和勒维烈 1845 年几乎同时演算出海王星的轨道，华莱士和达尔文关于生物进化论学说的优先权之说，拉瓦锡、普利斯特利和席勒 1774 年各自发现氧气，迈尔、焦耳、卡诺等人相继发现热功当量……

其中关于优先权的一个经典案例是牛顿与胡克之间持续 300 多年的就万有引力定律的优先权争执，至今仍为科学史家们津津乐道。

大名鼎鼎的牛顿自不必说，这里为大家介绍一下胡克，这位17世纪后半期著名的科学家，在英国皇家学会创立早期扮演过重要角色。胡克是一个全才式的人物，他以惊人的动手技巧和创造能力对当时的天文学、物理学、生物学、化学、气象学、钟表和机械、天文学、生理学等学科都做出过重要贡献，因此被誉为“英国的达·芬奇”。

万有引力定律作为17世纪自然科学最伟大的成果，早已被牢牢地归在牛顿名下，以至于那个苹果掉下来砸到头的故事，几乎被每本教科书广泛引用，使果园变成了不亚于图书馆的好去处。而胡克的一切不幸，正是起于他在天体物理学领域的研究。

1674年，胡克发表了《试证地球的运动》。在这篇著作中，胡克阐述了自己的行星运动理论：一切天体都具有倾向其中心的吸引力或重力；天体在未受其他使其倾斜的作用力前保持直线运动不变；离吸引中心越近，吸引力越大；行星的运动是惯性、外在引力和自身引力共同作用的结果。1679年，在写给牛顿的信中，胡克还重点指出，这种引力可能与地球同太阳的距离的平方成反比。但是，尽管胡克研究重力学的历史长达20年，可他的数学实在不好，计算不出行星的运行轨道。正因为这个原因，胡克才会给曾有不和的牛顿写信求助。

然而，在牛顿出版于1687年的科学巨著《自然哲学的数学原理》中，在讲述万有引力定律时，牛顿却只字不提胡克的帮助。当哈雷写信给牛顿，指出胡克承认做出证明的是牛顿本人，但“至少应当在序言中把他提一下”的时候，牛顿却激烈地回复道，“（胡克）至少必须节制一下他的虚伪”。

这使得胡克非常愤怒，开始指控牛顿盗用他的研究成果。此外，先前在光的波动学研究方面的争论也成为双方争执的焦点。牛顿对胡克的指控断然加以否认，两个人在皇家科学院吵翻了天，从此视若水火。

1693年，胡克在皇家学会会议上再次正式提出他发现万有引力的优先权。面对胡克如此“不识相”的行为，牛顿暴跳如雷。得益于《自然哲学的数学原理》出版，在牛顿强大话语霸权的压力下，可怜的胡克至死也没有得到应有的承认。1703年3月3日，胡克在落寞中去世。在他死后不久，由于在科学上的成就卓著，声名显赫的牛顿登上了英国皇家学会会长宝座，没多久，这些属于胡克的成果就全都消失在历史深处了。胡克死后甚至连一幅画像也没有留下来，这也导致了胡克在后来的科学史上更没有可能得到应有的地位和承认。

当今最伟大的物理学家霍金在《时间简史》中，对牛顿的“霸道”颇有微词。霍金公允地说：“莱布尼兹和牛顿各自独立地发展了叫作微积分的数学分支，它是大部分近代物

理的基础。虽然现在我们知道，牛顿发现微积分要比莱布尼兹早若干年，可是他很晚才出版他的著作。随着关于谁是第一个发现者的严重争吵的发生，科学家们激烈地为双方作辩护。然而值得注意的是，大多数为牛顿辩护的文章均出自牛顿本人之手，只不过仅仅用朋友的名义发表而已！”

看了上面的经典史故，相信大家真正明白了优先权的重要性。尤其在现代社会，科学创新的优先权除了关乎个人名声外，更是下一步正式申请知识产权和专利的敲门砖。

[智慧箴言]

我不知道世人对我是怎样看的，但是在我看来，我不过像一个在海滨玩耍的孩子，为时而发现了一个光滑的石子或一个美丽的贝壳而感到高兴；但是那浩瀚的真理海洋还在我的面前未曾被发现呢！

——牛顿

三、知识产权保护问题

知识产权，指“权利人对其所创作的智力劳动成果所享有的专有权利”，一般只在有限时间期内有效。各种智力创造比如发明、文学和艺术作品以及在商业中使用的标志、名称、图像以及外观设计，都可被认为是某一个人或某组织所拥有的知识产权。

知识产权是关于人类在社会实践中创造的智力劳动成果的专有权利。随着科技的发展，为了更好保护产权人的利益，知识产权制度应运而生并不断完善。在21世纪，知识产权与人类的生活息息相关，到处充满了知识产权，在商业竞争上我们可以看出它的重要作用。

知识产权可以分为工业产权与著作权两类，从本质上说都是一种无形财产权，它的客体是智力成果或者知识产品，是一种无形财产或者一种没有形体的精神财富，是创造性的智力劳动所创造的劳动成果。它与房屋、汽车等有形财产一样，都受到国家法律的保护，都具有价值和使用价值。

知识产权有广义与狭义之分。广义的知识产权包括著作权、邻接权、商标权、商号权、商业秘密权、产地标记权、专利权、集成电路布图设计权等各种权利；狭义的知识产权，即传统意义上的知识产权，包括了著作权（含邻接权）、专利权、商标权三个主要组成部分。

下面我们主要说说专利权以及当今科技界一些著名专利权争夺的故事。

专利 (patent) 一词来源于拉丁语“litterae patentes”，意为公开的信件或公共文献，是中世纪的君主用来颁布某种特权的证明。对“专利”这一概念，目前尚无统一的定义，其中较为人们接受并被我国专利教科书所普遍采用的一种说法是：专利是专利权的简称。它是由专利机构依据发明申请所颁发的一种文件。这种文件叙述发明的内容，并且产生一种法律状态，即该获得专利的发明在一般情况下只有得到专利所有人的许可才能利用（包括制造、使用、销售和进口等），专利的保护有时间和地域的限制。我国专利法将专利分为三种，即发明、实用新型和外观设计。

说起Android和苹果公司，大家都知道是竞争对手关系，但恐怕很少有人知道一手打造出Android的安迪·鲁宾曾是“苹果”的雇员，然而Android专利最终被谷歌揽入怀中；Hotmail和“苹果”有关联？是的，它同样是由“苹果”前员工创立，最终却被微软收购……这一系列传奇背后的那只手，就是专利的白热化争夺。

Android之父，安迪·鲁宾，要是当年“三星”对他手下留情，或是当初“三星”高管慧眼识才，那么现在智能手机市场又是另一片天下。

2004年，鲁宾带着他刚开发出来的Android系统，自己掏钱买了机票跑到韩国拜访“三星”。鲁宾回忆称，当时自己和同事两个人穿着牛仔裤到了很大的会议室，20名身穿蓝色正装的干部靠墙排列。在鲁宾演示完Android后，当时“三星”的高管淡定地笑道：“贵公司只有8个人做这个啊，我们在这方面可是投入了2 000人……”

结果可想而知，还没有走到询问价格这一步，“三星”与鲁宾的谈判就宣告破裂。下来的事情大家都知道了，第二

年，谷歌以5 000万美元的价格买下了Android，之后“三星”自己也采用了该系统。

众所周知，专利的两个最基本的特征就是“独占”与“公开”，以“公开”换取“独占”是专利制度最基本的核心，这分别代表了权利与义务的两面。“独占”是指法律授予技术发明人在一段时间内享有排他性的独占权利；“公开”是指技术发明人作为对法律授予其独占权的回报而将其技术公之于众，使社会公众可以通过正常渠道获得有关专利信息。

市场不能想象，如果当年硬件巨擘三星公司拥有了Android的独占权，那今天的移动互联网生态将是怎样一种状况？我想，即使是“苹果”，也会夹着尾巴很长时间吧。

在科技界，高科技公司的专利大战近年来进行得异常激烈，其中最典型的例子就是美国硅谷。

20世纪70年代开始，美国媒体开始用“硅谷”（Silicon Valley）一词来描述位于旧金山湾两岸的半导体制造企业。在经历了40年的变迁后，“硅谷”已经成为全球顶尖科技企业的标杆词。一代又一代的高科技企业如潮水般涌向此地，验证出生、壮大、死亡的自然规律。在这个更新频繁的硅谷生态链中，人才和并购是两个不变的主题。不过，弱肉强食的硅谷，近年开始流行一句话：“现在专利就像新货币。”这句话背后，是每年天文数字般的惊人交易。

2011年夏天，谷歌砸下125亿美元买下了摩托罗拉移动公司。市场普遍猜测，相比摩托罗拉的手机，恐怕谷歌更看重的是积累了 80 多年的摩托罗拉专利。

10 年前的硅谷，肯定不会这么做。但现在，专利的多寡直接影响到公司的行业底气。专利的争夺以及诉讼开始出现白热化，俨然已成为促使硅谷进化的推手之一。

有分析师估计，谷歌 125 亿美元现金收购中至少有一半是用来购买摩托罗拉 17 000 项专利，也就是平均每项专利 40 万美元。即便如此，该价格也远低于此前“苹果”和微软联合财团 45 亿美元收购的北电网络的 6 500 项专利，平均每项 75 万美元。

《纽约时报》援引专利专家的话称，75 万美元的价格是过去数年中，科技专利平均交易价格的 4 倍。

专利咨询公司 General Patent 首席执行官亚历山大·波尔托拉克称，过去几乎没人注意到专利，但现在专利就像新货币一样冒了出来，“我最近接到了数个金融分析师和银行家的电话，他们想知道如何评估专利价值，专利意味着什么”。

事实上，专利争夺战远未随着科技大佬们的一掷千金而结束。

近 10 年，由于新兴公司以及传统硅谷企业的复苏，为了迅速扩大其市场占有率以及可观的专利费，专利已经成为收购环节中的重要一环。

专利律师劳瑞称，10 年前，专利只是协议中的注脚而已，

很少被计入交易价值中，但数年后，一些小公司开始利用专利诉讼来赢得对大企业的官司，随着不断展开的诉讼，大企业开始关注专利并花更多的钱收购专利来抵御诉讼。

可以预见的是，随着专利日趋重要，将有更多的公司因为专利被大企业吞噬，市场在不断重整，硅谷也在不断调整。

[智慧箴言]

知识是取之不尽的源泉，用之不竭的财富。

——萨迪

知识的金锅，是谁也偷不去的。

——民谚

四、中国的知识产权保护

专利在今天变得如此重要，很大程度上得益于美国严格的知识产权保护体系，这个体系也是美国在科技创新方面领先他国的基石，它存在的目的就是保护知识产权不受侵犯，从而鼓励企业去创新。而专利大战只是它的一种极端表现形式。

就我国情况来看，自1980年中国先后加入了《保护工业产权巴黎公约》《关于集成电路的知识产权公约》《商标国际注册马德里协定》《保护文学艺术作品伯尔尼公约》《世界版权公约》《与贸易有关的知识产权协定》等。此外，中国还在积极研究加入其他知识产权国际条约。中国积极参加各种有关国际组织的活动，不断加强与各国知识产权有关机构的交流合作，最终建立了今天比较全面和完整的知识产权保护体系。

1984 年 3 月 12 日，六届全国人大常委会第四次会议通过了《中华人民共和国专利法》。1985 年 4 月 1 日，即我国专利法实施的第一天，原中国专利局就收到来自国内外的专利申请 3 455 件，被世界知识产权组织誉为创造了世界专利历史的新纪录。中国专利法保护发明、实用新型、外观设计三种创新成果。在大多数国家，专利法仅保护发明，而对实用新型和外观设计的保护单独立法。我国将发明、实用新型、外观设计的保护规定在一部法律中，都称为专利，是我国专利法立法体制特色之一。

专利法制定后经历了两次修改。1992 年 9 月，为更好履行我国政府在中美两国达成的知识产权谅解备忘录中的承诺，我国对专利法进行了第一次修改。2000 年 8 月，为了顺应我国加入世界贸易组织的需要，对专利法进行了第二次修改。2008 年 12 月 27 日，《中华人民共和国专利法》进行了第三次修订（下称 2008 年《专利法》）。修订后的《专利法》于 2009 年 10 月 1 日起施行。与前面两次修订相比，这次专利法修订，主要是国家自身发展需要的体现，而这突出地表现为提升专利法在促进我国自主创新、建设创新型国家方面的重要作用。2008 年 6 月 10 日，国务院还发布《国家知识产权战略纲要》，明确到 2020 年把我国建设成为知识产权创造、运用、保护和管理水平较高的国家。

行政和司法是知识产权保护执法的两个平行渠道，用行政手段保护知识产权是中国的一个重要特色。由于行政程序在打击侵权方面速度较快，费用也相对较低，受到知识产权权利人的欢迎；而在司法方面，中国各级法院已经建立起了专门负责审理知识产权案件的审判庭。

近年来，保护知识产权观念逐步深入人心。但中国企业和个人在知识产权的自我保护上，缺乏意识和有力手段。知识产权是现代企业的命脉，直接关系到企业品牌形象和持续竞争力的保持，这是需要国内民众提高关注的地方。

[智慧箴言]

发扬民族创新精神，扫除畏葸怯弱心态。

——宋健

继承祖先科技遗产，弘扬华夏创新精神。

——路甬祥

（松鸪）

第十五章　科技社团在科技创新中的作用

在我们这个讲究集体主义和协作精神的中国特色社会主义体制下，任何从事科技创新的集体或者个人，要想取得新的最佳成果，除了自身的努力和奋斗之外，科技社团正是我们达到胜利彼岸的桥梁和重要平台。借着这些有足够助推发射能力的平台，科学技术人员就会如鱼得水，全身心地投入到科学研究和技术发明的事业中去。此外科技社团还是一个为科学技术人员全方位开放的交流合作平台，通过交流讨论，很多科学技术成果更臻于完善和成熟，科学技术人才可以得到更好的锻炼和提升。因此，科技社团是推动科技进步、造就科学大师的重要组织。

一、科技社团，孕育科技创新

翻开牛顿、富兰克林、法拉第、麦克斯韦、霍金……这些人类史上最伟大的科学家的成长历史，我们可以发现一个现象，那就是他们都是某个科学社团的成员。

17 世纪初，意大利罗马的林赛学院，伽利略等一批有名的科学家经常聚集在此讨论科学问题，切磋实验方法，探索新的科学领域，他们通力合作，开辟了近代科学研究的许多新方向和新领域。正是由于他们聚会所形成的良好的科学研究氛围，使他们能够集前任和同代人智慧之大成，登上科学的最高峰。因此，林赛学院被公认为是最早的科学社团。

科学社团一出现就显示出强大的生命力，很快和大学一起成为推动欧洲科学发展的两大支柱。其中最有名的科技社团就是成立于 1660 年的英国皇家学会，这是历史最悠久，从未中断过的科学社团，牛顿等著名科学家曾担任过学会会长。他们出版学术刊物，举办学术讨论会，交流新的科学思想、科学理论和科学方法，不仅创造出一大批影响世界的科学成果，而且培养了一批奠定现代科学基础的巨匠，正是英国皇家学会组织开展的学术交流和研讨活动,使牛顿得以“站在巨人的肩膀上”，开创了物理学的崭新时代。

中国最早的科技社团是孙中山先生在 1915 年成立的中国科学社，秉承“联络同志、研究学术，以共图中国科学之发达”的宗旨，设立生物研究所和图书馆，创办《科学》和《科学画报》等学术期刊，出版《科学丛书》和《科学译丛》等科学书籍。他们在十分艰难的条件下弘扬科学精神、开展科学教育、传播科学知识、倡导科学研究，对现代科学在中国的创立、发展和普及起到了十分重要的推动作用。新中国成立后特别是改革开放以来，科技社团如雨后春笋般蓬勃兴起，成为国家创新体系的重要组成部分，为充分发挥科学技术第一生产力的重要作用做出了突出贡献。

那么，科技社团究竟是一种什么组织呢?

中国科协章程指出："科技社团是按自然科学、技术科学、工程技术及其相关科学的学科组建或以促进科学技术发展和普及为宗旨的学术性、科普性社会团体。科技社团是科技工作者为发展学术，推进科学技术进步自愿组织起来的科学共同体。"

与其他社会团体相比，科技社团有丰富的科技智力人群资源优势，具有专业权威性。当人力资源和智力资源经过组织的凝聚时，能够产生出巨大社会影响力。截至 2013 年底，中国科协所属全国和省级学会个人会员达 1 067 万人，覆盖了基础研究、应用研究和技术推广等各个领域，荟萃了各学科（专业）领域的杰出科学家和拔尖人才。

科技社团是国家科技创新体系的重要组成部分，在促进学术交流，开展科技评价、举荐创新人才，参与决策咨询，促进科学技术的普及等方面，做了大量卓有成效的工作，为国家的科技创新发挥了重要的作用。正如中国科协主席韩启德在中国科协会员日报告会上的致辞所说："科技社团是推动科技进步，造就科学大师的重要途径。"

在我国，中国科协和各省、市、区（县）的科协是科技社团的主管单位，是党和政府联系科技工作者的桥梁纽带。目前，中国科协所属的国家级科技团体有 187 个，覆盖基础研究、应用研究和技术推广等各个领域，每个省、市、区（县）科协所属也都有一支数量庞大的科技社团队伍，以四川为例，全省省级科技社团就有 28 个，涵盖了理、工、农、医、文、艺以及交叉类学科，同时，各学科、各领域、各行业都有相关的社团组织。

科技社团主要有两类，一类是同一学科或同一领域的科技工作者组成的社团，如中国物理学会、中国地质学会、四川省地震学会等等，这类社团占绝大多数；另一类是学科交叉与融合的社团，比如中国科学探险协会、四川省科普作家协会等，汇集了理、工、文、医等各个学科的学者和专家。

理事长或常务副理事长是科技社团的重要领导成员，都是由该学术领域有影响力的权威人士担任。他们的主要职责是团结同一领域的科技工作者，开展一系列的科技活动，从而推动本领域的学科发展与行业技术进步。

科技社团的资金来源主要是：会员缴纳的会费，向政府部门申请的资助，还有少量的个人或社会的捐赠。

［智慧箴言］

广大科技工作者一定要以国家需要为最高需要，以人民利益为最高利益，以报效祖国为最高职责，把自己的聪明才智与改革开放和社会主义现代化建设的需要紧密结合起来，把自己的事业追求与亿万人民的幸福安康紧密结合起来。

——胡锦涛

二、学术交流，助推科技创新

创建于英国剑桥大学的卡文迪许实验室，从1874年至今，先后走出了近30位诺贝尔奖获得者，在人类科学史上写下了光辉的篇章。而这些成就的取得，是与沙龙式的学术交流分不开的。20世纪初，物理学家汤姆森担任实验室主任后，开创了“茶休”的形式，并让这个习惯成了一个传统。每天上午和下午，实验室里不同领域的科学家都会在相对固定的时间里一起喝茶交流。其间，大家可以自由自在地交流思想，交锋学术观点，时而海阔天空地谈论，时而为某个具体实验设计而争得面红耳赤。这里没有辈分之别，也没有地位等级之分，彼此可以毫无顾忌地展开辩论和批评。正是这种畅所欲言的交流氛围和思想碰撞，促进了科学技术的进步，诞生了一批照耀世界的科学之星。正如发现了DNA双螺旋的结构，开启了分子生物学时代的生物学家沃森在谈到自己的成长时说：“当自己还是一名年轻的科学工作者时，在卡文迪许实验室‘茶休’时间，我有机会向克里克、威尔金斯、富兰克林等很多著名科学家请教学习，还能经常和很多科学家们交换各种信息和意见，同时又得到了老前辈们的指导和鼓励，这些都是我取得成就的重要因素。”由此可见，学术交流和研讨活动对于科技精英人才的培养和科技创新具有重要的助推作用。

学术交流是科技社团最主要的活动形式之一，也是科技社团最具吸引力的地方。据中国科协2004年对1 727名科技工作者反馈的问卷分析，科技工作者之所以愿意参加科技社团的学术活动，81.1%的人是想通过学术交流了解同行的学术情报和信息，41.1%的人是想与同行讨论问题，而36.0%的人则想展示自己的学术成果，获得同行的评价和认可(数据来自：杨文志《科技社团的学术交流应回归本位》)。

每个学会每年都会定期或不定期地举行一些不同层次、不同类型的学术交流会，比如学术年会、专题论坛、学术讲座、研讨会等等。这些交流会有国内的，也有国际的。交流的内容非常广泛，有针对科技发展中具有前瞻性问题和科学前沿学术动态的探讨，有围绕国家及地方建设与发展中的热点、难点问题的交流……通过形式多样的学术交流，科技人员能将自己的思考、研究、探索的结果与同行或其他专业的研究者进行沟通，彼此了解，相互启发，同时还能让会员站在不同的角度审视学术问题，碰撞出思想的火花，促进自己的研究和探索，从而形成新的思路和新的观点，有利于推动学科的建设和发展，有利于促进科技的进步和人才的成长。交流会上，科学家们不同的声音，相左的观点，甚至尖锐的质疑，高声的争论，都是接近真理，完成理论升华的重要途径，都是激荡科技创新的源泉，引领科技进步的先导。

科技社团不仅成为科学技术建制化进程的重要组成部分，而且越来越成为推动科学和技术一体化、促进学科交叉融合的重要动力，不同学术背景的学者交流学术思想，基础学科之间、基础学科与应用学科、科学与技术、自然科学与人文社会科学之间的交叉与融合，是科学研究中最具活力的部分。不仅能够推进不同学科的发展与合作，还能促进学科群建设。

我国一些科技社团与国际民间学术机构有广泛的交流与合作，呈现出越来越明显的国际化特征。通过开展国际科技交流、主办或承办各类国际学术交流的重大活动和重点项目，提高了我国科技社团的国际地位，取得了更多的决策权和话语权。

加强学术交流是科技社团促进自主创新义不容辞的职责。以四川为例，在四川省科协搭建的学术交流平台上，其所属的科技社团每年都要举办各类学术交流活动近 300 场。他们围绕四川省经济、社会、科技发展的重大问题，积极开展各类学术交流活动。例如，2008 年“5·12”汶川地震以后，四川科技社团围绕抗震救灾和恢复重建中的技术难题，及时举办“科学技术与抗震救灾”论坛，邀请了 30 多位全国知名院士、专家参加，为灾区重建建言献策。同时，还举办了“地震生命线工程与防灾减灾研讨会”等学术活动 18 场，

为抗震救灾和灾后重建提供了科技支撑与服务。也为培养四川的科技领军人才，提高四川的学术地位，吸引国内外高端人才来四川开展学术交流，促进四川经济社会发展发挥了积极作用。四川科协还打造了高端学术交流会，如中青年专家学术大会，“天府创新论坛” 博士专家论坛等，目前这些论坛已成为四川科技社团的知名品牌。为培养青年科技创新人才，激发他们的创新实践和学术研究的潜能，科技社团还定期举办了“青少年科技创新大赛”“青少年机器人创新实践活动”“‘挑战杯’四川省大学生创业计划和科技作品竞赛”。

为达到中国科技界在国际上“有人、有声、有事、有朋友”的目标，四川省科技社团还与美国、加拿大、法国、日本、新西兰等外国科技团体和港台地区科技团体互动交流，联合召开学术交流会议，扩大国际影响。

［智慧箴言］

学术交流活动是科学技术工作中个人钻研和集体智慧相结合的一种形式。通过科学家之间的思想接触，学术交流，自由争辩，可以沟通情况，取长补短，相互促进，共同提高，使认识得到发展，从而有可能产生新的科学假说，开辟新的研究途径。

——周培源

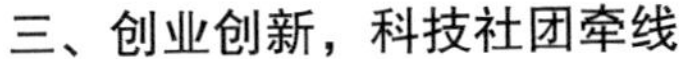

三、创业创新，科技社团牵线

毕业已两年的大学生小李开始创业了，他和几个志同道合的伙伴成立了一个小公司，研发了一款成像设备，用于生产线上检测 LED 显示屏上是否有坏点。为了找到一个合作方来运用这项创新成果，他们团队集体“出走”，寻找战略伙伴。他们去工厂，可别人对这个新东西表示怀疑不敢用；他们去企业，也没人敢冒险试验他们的成果。跑了整整一个月，全都无功而返。正当小李不知怎么办的时候，四川一个青年科技社团邀请他参加在创业园区的茶话会。在茶话会上，他认识了开发游戏软件的小刘，两人一交谈，竟碰出了合作的火花，意外地找到了共同合作的结合点——3D 显示技术，即为游戏角色制作 3D 投影的模型，如今他们已开发出了第一版的软件。经专家评估：这款产品的商业前景很广。它不仅限于网络游戏，还可以做成便携式 3D 投影仪器，作为教学课件，例如在医学课上展示人体模型等。

正是“科技社团”这个红娘，促成了光学硬件与游戏软件的跨界姻缘，让两个不同的创新团队结成了战略伙伴。

高等学校是培养人才的摇篮，肩负着科技创新人才培养的使命。为了激发学生社团的创造活力，成都理工大学校团委所属创新创业社团对本校创新创业团队提供了一系列的资源服务，出台了包括资金在内的相关扶持政策；还设立了

大学生创业实践“一站式”服务平台，成立“创业咨询导师团”，就大学生创业者在创业实践中所涉及的相关知识、政策、法规以及各种问题提供咨询和解答；指导大学生形成自己的创业项目构想，并对其未来企业的产品、客户、市场发展前景和商业模式等做出明确的定位和发展规划；指导学生创业者开展市场调研、对项目进行可行性分析、风险评估、投资效益预测等；为大学生创业者分析和确定创业资金需求，协助完成创业融资所需的商业计划书，提供融资和引资方面的洽谈和对接服务等。同时，还构建了教师“教练式”模式，搭建了教授与学生“自主学习”和“体验式”学习的平台，组建了教授专家顾问团，为学校科技创新团队提供技术指导和提供智力服务。学生们有问题需要请教可随时联系。

为推动高校学子科技创新活动，引导和培养科技界未来创新人才，四川省科协启动了“携手未来”行动，在省科协的牵线搭桥下，四川省计算机、电子、气象等10个省级科技社团直接“对接”高校科技社团，让“大协会”拉“小协会”，科学家牵手大学生，帮助大学生们解决在科技创新实践活动中碰到的问题和难题，给予学校社团专业指导以及技术支持，从而培养了广大学生的创新精神和创新能力。学生们也在参与省级学会各类活动中，对学科的发展趋势以及前沿技术有了更多的了解。这让学生更加热爱自己的专业，极大地调动了他们以后从事科学研究的积极性。

因此，年青的创新创业者们，当你们的科技创新碰到技术难题时，或者面临困难需要帮助时，别忘了找相应的科技社团。别忘了，你创新的诉求，有科技社团这个“红娘”来为你牵线搭桥。

［智慧箴言］

今天的中国，是一片创业的热土。只要你愿意在这个潮流中前进，未来有一天，你就可能引领潮流。

——俞敏洪

四、科技社团，服务科技创新

国家创新体系是一个能够最有效地推动知识、技术转化为生产力的体系，它由国家不同层面、不同功能、不同领域的单元组织或机构，以及保障该系统运转的人力资源、财政金融、法律制度等构成。作为国家创新体系一分子的科技社团，在实现中华民族的伟大复兴中，在“科技强国”的发展战略中，在推进会员学术共同体学术交流和专业发展的同时，还应该服务社会，成为服务于科学普及和科技成果推广任务的主力军，成为党和政府提供科技事务决策咨询的智力库。这是知识经济和创新经济时代科技社团义不容辞的神圣使命和社会担当。科技社团社会服务的形式多种多样，主要有以下几方面：

1. 科技知识的传播和普及

国务院颁布的《全民科学素质行动计划纲要》提出：到2020年，我国公民科学素质在整体上有大幅度提高，达到世界主要发达国家21世纪初的水平。中共中央、国务院《关于加强科学技术普及工作的若干意见》指出："科学技术普及工作是普及科学知识，提高国民素质的关键措施，是社会主义物质文明和精神文明建设的重要内容，也是培养一代新人的必要措施。"可见，科普工作作为国家基础建设和基础教育的重要组成部分，是提高全民科学素质，适应国家战略发展需要的一项具有深远意义的宏伟工程。

科技社团具有良好的科技智力资源优势，有义务、有责任、有条件向社会公众普及科学和技术知识。科技社团可以通过科普讲座、科普展览、科技下乡下社区或组织专家撰写科普图书及科普文章等多种活动，多种渠道、多种方式向社会公众传播科学知识，介绍最新科学发现、展示科技创新成果，帮助公众理解科学，以提高广大民众的科学文化素养和科技知识水平，促进科学技术的广泛应用。通过向全社会普及和传播科学思想、科学观念、科学态度、科学精神和科学方法等，可以启迪民众的科学思想，改善人们的价值观念，促进人们行为方式的理性化和科学化，提高公众对各种伪科学的辨识能力，让大家更加关心和支持科学技术的发展，从而推动社会整体素质的提高，为科技进步和创新打下最深厚最持久的基础。

2. 科技事务决策咨询

科技社团有科技智力密集优势，是党和政府的智囊团。科技社团积极配合政府工作，利用社团专家的智慧、知识、经验，专业技术等智力资源，充分发挥跨行业、跨部门和多学科的优势，向政府和其他社会组织建言献策，提供有关科技事务的决策咨询服务。一方面，可对政府科技政策和学科发展、行业发展政策等作决策研究与论证。政府在制定有关政策法规，制定一些科学技术和经济、社会发展中长期规划时，往往要征求科技社团专家的意见和建议，从而保证法律、法规、政策和规划的准确性和可行性。另一方面，科技社团可利用其所具有的学术性、权威性，协助政府对国家重大科研项目和工程项目进行科技咨询、专家论证；对技术经济安全性评估，自然灾害损失、技术事故和医疗事故的鉴定，质量、环保安全性进行评价、体系认证。

3. 推动创新成果转化

加快科技成果转化为现实生产力，是实现科技与经济紧密结合的关键。科技社团具有横向联合的特点，这就为创新成果的转化创造了条件。通过科技社团搭建科技下乡、科普讲座等平台，促进科技交流活动，社团中的专家、科研人员与企业方面的技术人员有了接触的机会，就能促成企业与社团和合作。科技社团成员大都来自大专院校，或者研究机构，手中有一批创新型科研成果，可与企业共同开发或转让给企业，让科技成果走出实验室，转化为生产力，使之为人民服务，为社会服务，为促进新知识转化为现实生产力打下良好的基础。同时企业也因此能生产出科技含量较高的产品，而获得更大的发展。在实现科技成果转化的过程中，科技社团用已有的研发成果和成熟技术去帮助和指导企业的科技攻关和重大技术项目的改造，提高他们掌握应用新知识、新技术的素质和能力，有效地解决实际生产中的技术难题，从而进一步增强企业的技术创新能力。因此，科技社团是科技与经济联系的桥梁，是科技成果转化为现实生产力的主要渠道。

［智慧箴言］

要紧紧抓住促进科技与经济紧密结合这个核心问题，依靠科技创新加快转变经济发展方式。

——温家宝

（李庆雯）

附 录

附录一：经典创业案例

改革开放、市场经济，大家都想劳动致富，成功创业是人们向往的生财之道。这里介绍一些“大王”级的创业传奇人物、当代的创业明星和我们身边的社区创业之星，期望大家能从他们的创业之路中悟出他们成功的“诀窍”。他们的成功之路难以复制，但他们艰苦奋斗的精神和坚韧的理想追求，无疑会鼓舞我们奋发图强的创业信心和决心。

经典创业传奇——华为掌门人任正非

2016 年 5 月 25 日凌晨，华为技术有限公司宣告，已分别在美国和中国对韩国三星电子公司提起诉讼，指控该公司侵犯华为智能手机专利，并追索损害赔偿。这是中国企业首次对全球最大手机制造商发起知识产权诉讼，也向全世界表明了，华为在移动通信及手机知识产权的强势领先地位。

华为究竟有多牛?

论体量，华为相当于中国最挣钱的互联网企业的总和!员工：阿里有3万人，百度有5万人，腾讯大约有3万人，员工总数11万人，华为全球员工总数为17万人！纳税：阿里纳税109亿元，百度纳税22亿元，腾讯纳税70多亿元，纳税总额约200亿元；华为自己纳税约337亿元！利润：阿里234亿元，腾讯242亿元，百度105亿元，利润总额约580亿元，且其中的70%被外资拿走，而华为自己的利润约279亿元！累积利润、累积纳税超过2 000亿元!

论结构，华为可以做到不上市、不融资就有如此业绩，因为它融的是员工的心！它融的是人心，这才是未来企业的真正出路。华为不上市，把98.6%的股权开放给员工，创办人任正非只拥有公司1.4%的股权。华为所挣的每一分钱都是大家的，都是合伙人的。分享华为股权的是现在的82 000多名合伙人。这些股东除了不能表决、出售、拥有股票之外，可以享受分红与股票增值的利润。华为每年所赚取的净利，几乎是百分之百分配给了股东。

论产品,华为的产品不仅早就遥遥领先于其他国内产品,并且已经超越了苹果！根据市场研究公司发布的最新数据显示：在2015年12月至2016年2月期间，苹果iPhone手机在中国市场的智能手机销售份额两年来首次遭遇下滑，幅度为3.2%，最终停留在22.2%，而华为，在中国城市的智能手

机份额是 24.4%！

论研发，华为有 1 万名博士，几十名俄罗斯数学家。中国的企业大多不注重研发，而是以短、平、快著称。华为用它今天的成果向我们证明，只有静下心来做研发，企业才有长远前途！我们都知道台湾的企业很注重研发，那么我们先来看看台湾发展很好的科技企业前五名分别投入的研发经费有多少？台湾积体电路制造股份有限公司研发费 568 亿台币，富士康科技集团研发费 489 亿台币，联发科技股份有限公司研发费 433 亿台币，台湾联华电子股份有限公司研发费 137 亿台币，纬创资通集团研发费 134 亿台币。在 2014 年，华为研发经费为 400 亿元；2015 年，华为研发经费约为 500 亿元！以投入研发经费计：华为最近十年研发经费已经达到 1 900亿元！从这个数据上看，如果华为在日本，仅次于丰田，排第二；远超索尼的 50 亿美元。如果华为在德国，仅次于大众，排第二；远超西门子的 55 亿美元！ 2015 年，华为甚至进入了世界各国非军工企业研发经费前十强！

华为注重研发的最直接结果，是它已经拥有了 3 万项专利技术，其中有 4 成是国际标准组织或欧美国家的专利，因此在 100 多家各种标准组织中担任了主席、副主席、董事、各子工作组组长、报告人、技术编辑等至少 90 个职务。2014 年，华为向苹果公司许可专利 769 件，苹果公司向华为许可专利 98 件。这意味着华为开始向苹果公司收取专利许可使用费。

放眼世界五百强企业，九成的中国企业是靠原物料、中国内需市场等优势挤入排行，或者依靠上市运作去圈钱，比如有一些公司的最新估值也首次突破500亿美元，市值仅次于腾讯、阿里巴巴、百度，然而又怎么样呢？ 估值，不代表价值。华为，靠的就是技术创新能力以及海外市场经营绩效获得今天的地位。当过去的通信产业巨擘摩托罗拉、阿尔卡特、朗讯、诺基亚、西门子等都面临衰退危机时，华为却在过去十年间年年成长。

介绍了如此牛的华为公司，必须认识认识华为的创建人任正非。我们让他自己来说说他的创业历程吧：

人感知自己的渺小，行为才开始伟大

小时候，妈妈给我们讲希腊大力神的故事，我们崇拜得不得了。少年不知事的时期我们崇拜上李元霸、宇文成都这种盖世英雄，传播着张飞“杀”（争斗）岳飞的荒诞故事。在青春萌动的时期，突然感觉李清照的千古情人是力拔山兮的项羽。至此“生当作人杰，死亦为鬼雄”又成了我们的人生警句。当然这种个人英雄主义，也不是没有意义，它迫使我们在学习上争先，成就了较好的成绩。

当我走向社会，多少年后才知道，让我碰到头破血流的，就是这种不知事的人生哲学。我大学没入团，当兵多年没入党，处处都处在人生逆境，个人很孤立，当我明白团结就是

力量这句话的政治内涵时，已过了不惑之年。想起蹉跎了的岁月，才觉得，怎么会这么幼稚可笑，一点都不明白开放、妥协、灰度呢？

不惑之年才创华为，前途充满不确定性

我是在生活所迫，人生路窄的时候，创立华为的。那时我已领悟到“个人是历史长河中最渺小的”这个人生真谛。我看过云南的盘山道，那么艰险，一百多年前是怎么确定路线、怎么修筑的，为筑路人的智慧与辛苦佩服；我看过薄薄的丝绸衣服，以及为上面栩栩如生的花纹是怎么织出来的而折服，织女们怎么这么巧夺天工？天啊！不仅万里长城、河边的纤夫、奔驰的高铁……我深刻地体会到，组织的力量、众人的力量，才是力大无穷的。

人感知自己的渺小，行为才开始伟大。在创立华为时，我已过了不惑之年。不惑是什么意思？是几千年的封建社会，环境变动缓慢，等待人的心理成熟的一个尺度。

而我进入不惑之年时，人类已进入电脑时代，世界开始疯起来了，等不得我的不惑了。我突然发觉自己本来是优秀的中国青年，所谓的专家，竟然越来越无知。不是不惑，而是要重新起步新的学习，时代已经没时间与机会让我不惑了，前程充满了不确定性。

我刚来深圳还准备从事技术工作，或者搞点科研什么的，

如果我选择这条路，早已被时代抛在垃圾堆里了。我后来才明白，一个人不管如何努力，永远也赶不上时代的步伐，更何况在知识爆炸的时代。只有组织起数十人、数百人、数千人一同奋斗，你站在这上面，才看得到时代的脚印。

我转而去创建华为时，不再是自己去做专家，而是做组织者。在时代前面，我越来越不懂技术、越来越不懂财务、半懂不懂管理，如果不能民主地善待团体，充分发挥各路英雄的作用，我将一事无成。从事组织建设成了我后来的追求，如何组织起千军万马，这对我来说是天大的难题。

华为创业初期

我创建了华为公司，当时在中国叫个体户，这么一个弱小的个体户，想组织起千军万马，是有些狂妄，不合时宜，是有些想吃天鹅肉的梦幻。我创建公司时设计了员工持股制度，通过利益分享，团结起员工，那时我还不懂期权制度，更不知道西方在这方面很发达，有多种形式的激励机制。仅凭自己过去的人生挫折，感悟到应该与员工分担责任，分享利益。

创立之初我与我父亲商量过这种做法，结果得到他的大力支持。他在二十世纪三十年代学过经济学。这种无意中插的花，竟然今天开放得如此鲜艳，成就了华为的大事业。

在华为成立之初，我是听任各地“游击队长”们自由发

挥的。其实，我也领导不了他们。

前十年几乎没有开过办公会类似的会议，总是飞到各地去，听取他们的汇报，他们说怎么办就怎么办，理解他们，支持他们；听听研发人员的发散思维，乱成一团的所谓研发，当时简直不可能有清晰的方向，像玻璃窗上的苍蝇，乱碰乱撞，听客户一点点改进的要求，就奋力去找机会……更谈不上如何去管财务的了，我根本就不懂财务，这导致我后来没有处理好与财务的关系，他们被提拔的少，责任在我。

也许是我无能、傻，才如此放权，使各路诸侯的聪明才智大发挥，成就了华为。我那时被称作甩手掌柜，不是我甩手，而是我真不知道如何管。今天的接班人们，个个都是人中精英，他们还会不会像我那么愚钝，继续放权，发挥全体的积极性，继往开来，承前启后呢？他们担任的事业更大，责任更重，会不会被事务压昏了，没时间听下面唠叨了呢？相信华为的惯性，相信接班人们的智慧。

从甩手掌柜变成文化教员

到 1997 年后，公司内部思想混乱，主义林立，各路诸侯都显示出他们的实力，公司往何处去，不得要领。我请人民大学的教授们，一起讨论一个“基本法”，用于集合一下大家发散的思维，几上几下的讨论，不知不觉中“春秋战国”就无声无息了。人大的教授厉害，怎么就统一了大家的认识

了呢？从此，开始形成了所谓的华为企业文化。无论这个文化有多好，多厉害，反正不是我创造的，而是全体员工悟出来的。

我那时最多是从一个甩手掌柜，变成了一个文化教员。

业界老说我神秘、伟大，其实我知道自己，名实不符。我不是为了抬高自己，而隐匿起来，而是因害怕而低调的。真正聪明的是十三万员工，我只不过用利益分享的方式将他们的才智粘合了起来。

公司在意志适当集中以后，就必须产生必要的制度来支撑这个文化。这时，我这个假掌柜就躲不了啦。从20世纪末，到21世纪初，大约在2003年前的几年时间，我累坏了，身体就是那时累垮的。身体有多种疾病，动过两次癌症手术，但我乐观……

那时，要出来许多文件才能指导、约束公司的运行。那时公司已有几万员工，而且每天还在不断大量地涌入。你可以想象混乱到什么样子。我理解了，社会上那些承受不了的高管，为什么选择自杀。问题集中到你这里，你不拿主意就无法运行，把你聚焦在太阳下烤，你才知道CEO不好当。每天十多个小时以上的工作，仍然是一头雾水，衣服皱巴巴的，内外矛盾交集。

我人生中并没有合适的管理经历，从学校，到军队，都没有做过有行政权力的“官”，不可能有产生出有效文件的

素质，左了改，右了又改过来，反复烙饼，把多少优秀人才烙煳了，烙跑了。这段时间的摸着石头过河，险些被水淹死。

2002年，公司差点崩溃了。IT泡沫破灭，公司内外矛盾交集，我却无能为力控制这个公司，有半年时间都是噩梦，梦醒时常常哭。真的，若不是公司的骨干们在茫茫黑暗中点燃自己的心，来照亮前进的路程，现在公司早已没有了。这段时间孙董事长团结员工，增强信心，功不可没。

如海绵一样，善于吸取总结精华

大约2004年，美国顾问公司帮助我们设计公司组织结构时，认为我们还没有中枢机构，不可思议，且高层只是空任命，也不运作，提出来要建立执行管理团队EMT(Executive Management Team)。我不愿做EMT的主席，就开始了轮值主席制度，由八位领导轮流执政，每人半年，经过两个循环，演变到今年的轮值CEO制度。

也许是这种无意中的轮值制度，平衡了公司各方面的矛盾，使公司得以均衡成长。轮值的好处是，每个轮值者，在一段时间里，担负了公司CEO的职责，不仅要处理日常事务，而且要为高层会议准备起草文件，大大地锻炼了他们。同时，他不得不削小他的屁股，否则就达不到别人对他决议的拥护。这样他就将他管辖的部门带入了全局利益的平衡，公司的山头无意中在这几年削平了。

经历了八年轮值后，在新董事会选举中，他们多数被选上。我们又开始了在董事会领导下的轮值 CEO 制度，他们在轮值期间是公司的最高的行政首长。他们更多的是着眼公司的战略，着眼制度建设，将日常经营决策的权力进一步下放给各 BG、区域，以推动扩张的合理进行。

这比将公司的成败系于一人的制度要好。每个轮值 CEO 在轮值期间奋力地拉车，牵引公司前进。他走偏了，下一轮的轮值 CEO 会及时去纠正航向，使大船能早一些拨正船头，避免问题累积过重不得解决。

我不知道我们的路能走多好，这需要全体员工的拥护，以及客户和合作伙伴的理解与支持。我相信由于我的不聪明，引出来的集体奋斗与集体智慧，若能为公司的强大，为祖国、为世界做出一点贡献，廿多年的辛苦就值得了。

我知识的底蕴不够，也不够聪明，但我容得了优秀的员工与我一起工作，与他们在一起，我也被熏陶得优秀了。他们出类拔萃，夹着我前进，我又没有什么退路，不得不被“绑”着、“架”着往前走，不小心就让他们抬到了峨眉山顶。

我也体会到团结合作的力量。这些年来进步最大的是我，从一个“土民”，被精英们抬成了一个体面的小老头，因为我的性格像海绵一样，善于吸取他们的营养，总结他们的精华，且大胆地开放输出。

那些人中精英，在时代的大潮中，更会被众人团结合作

抬到喜马拉雅山顶。希腊大力神的母亲是大地，他只要一靠在大地上就力大无穷。我们的大地就是众人和制度，相信制度的力量，会使他们团结合作把公司抬到金顶的。

作为轮值CEO，他们不再是只关注内部的建设与运作，同时，也要放眼外部，放眼世界，要自己适应外部环境的运作，趋利避害。我们伸出头去，看见我们现在是处在一个多变的世界，风暴与骄阳、和煦的春光与万丈深渊并存着。

千古兴亡多少事，一江春水向东流

我们无法准确预测未来，但仍要大胆拥抱未来。面对潮起潮落，即使公司大幅度萎缩，我们不仅要淡定，还要矢志不移地继续推动组织朝向长期价值贡献的方向去改革。要改革，更要开放。要去除成功的惰性与思维的惯性对队伍的影响，也不能躺在过去荣耀的延长线上，只要我们能不断地激活队伍，我们就有希望。

历史的灾难经常是周而复始的，人们的贪婪，从未因灾难改进过，过高的杠杆比，推动经济的泡沫化，总会破灭。只要我们把握更清晰的方向，更努力地工作，任何投机总会要还账的。

经济越来越不可控，如果金融危机的进一步延伸爆炸，货币急剧贬值，外部社会动荡，我们会独善其身吗？我们有能力挽救自己吗？我们行驶的航船，员工会像韩国人卖掉金首饰救国家一样，给我们集资买油吗？历史没有终结，繁荣会永恒吗？

我们既要有信心，但也不要盲目相信未来，历史的灾难，都是我们的前车之鉴。我们对未来的无知是无法解决的问题，但我们可以通过归纳找到方向，并使自己处在合理组织结构及优良的进取状态，以此来预防未来。

死亡是会到来的，这是历史规律，我们的责任是不断延长我们的生命。

千古兴亡多少事，一江春水向东流，流过太平洋，流过印度洋……不回头。

（此文系2012年初华为总裁任正非为轮值CEO鸣锣开道撰写的一篇内部文章）

任正非的创业历程也就是我们可以领略的华为公司“牛”起来的历程。

华为有一个创建人任正非，而这个任正非让华为的员工都成为“合伙人”，从而使华为不属于任正非个人，而属于任正非和他的“合伙人”。华为确实是独特的中国民营企业。华为真“牛”！任正非真“牛”！！

当代创业明星——阿里巴巴·马云

马云，浙江省杭州市人，当代中国企业家，阿里巴巴集

团主要创始人。现任阿里巴巴集团主席和首席执行官，他是《福布斯》杂志创办50多年来成为封面人物的首位大陆企业家，曾获选为未来全球领袖。除此之外，马云还担任软银集团董事、中国雅虎董事局主席、亚太经济合作组织（APEC）下工商咨询委员会(ABAC)委员、杭州师范大学阿里巴巴商学院院长、华谊兄弟传媒集团董事。

2012年11月30日，马云打造的电商淘宝和天猫，总交易额突破1万亿元大关。1万亿元是什么概念呢？按中国2011年各省市GDP排名，可排在陕西省之前的第17位。这就是马云的一个“家业”。这位被称为“电商教父”的创业之路，真可以称为“江湖传奇”。

马云参加了三次高考才进入杭州师范学院外语系，1988年毕业后在杭州电子工学院当英语教师，似乎才能平平并不出众。而20世纪90年代初改革开放掀起的市场经济浪潮，扰动了他那本来就不安分的“驿动的心”,他开始觅机“下海”。他首先以自己的外语优势作“资本”开始进入市场，为个人、企业、单位当翻译。说实话这时只能挣点辛苦钱，邀约亲友、同学组合的“翻译社”业务经常青黄不接，难免饱一餐饥一餐地熬日子。但是，不安分的马云是个“有心人”。1995年，外语一级棒的他受浙江省交通厅之托赴美催债收款去了西雅图，债款没收到但第一次“见识”了互联网。他好奇地上网搜索，居然找不到一点中国的信息，感叹之余心中一动，没信息不正是上信息的大好商机。心动不如行动，马云的“电商”创业就此开始。他托人把自己的海博翻译社挂上了互联网。不到半天就收到了来自世界不同地区、国家的5份订单，其中一家客户在电邮中说道：这是我们发现的第一家中国公司网站……立竿见影，马云创造了他的第一个互联网“中国第一”。

马云敏锐地意识到，互联网是“金矿”，自己找对了方向，回国后立马辞职办网络公司。他把夫人和一位自动化专家朋友一起拉下水，凑了2万元启动资金，租了间办公室就开干了。

马云的第一家互联网公司沿用翻译社的名字就叫“海博网络”，拳头产品就是“中国黄页”。这中国黄页，说通俗点就是在网络上为企业、单位做宣传、广告，借用电话簿中的广告黄页而来。海博网络的第一批客户是他们跑遍杭州、说尽好话才“拉”到的三家——杭州第二电子机械厂、钱江律师事务所和望湖宾馆。他们把客户资料寄到美国，由美国的互联网公司制作图片并挂上网成为网页。每个网页3 000字，外加一张照片和联系方式，收费2万元，其中1.2万元付美国公司。1995年9月，世界妇女大会在北京召开，由于网上有望湖宾馆，大会的外国代表从网上知道这唯一的上网宾馆后，他们专程飞到杭州入住望湖宾馆，宾馆老板这才付了款。而同时，这也为马云的“中国黄页”作了很好的宣传。

但是当时能看好互联网和“中国黄页”的人，真的并不多。1996年初，马云去北京国家体委推销“中国黄页”，告诉他们：中国黄页可以让世界知道中国体育，可以让国家体委登上“信息高速公路”……似懂非懂的国家体委接待人员不耐烦地答道：这个事情嘛，你们应该先预约……最后不了了之。马云并不气馁，不屈不挠地一家一家去宣传游说中国黄页，多次被“请”出门外，甚至被人当作骗子。马云自己不无调侃地总结说：互联网是影响人类未来生活的长跑，你必须跑得像兔子一样快，又要像乌龟一样耐跑。马云就这样像兔子又像乌龟地坚持他的中国黄页长跑，直至1997年底，中国黄页创造了年营业额700万元的辉煌业绩。这时他有了把中国黄页打造成“中国雅虎”的想法，可是不久便因与杭州电信合作失败而“梦想破灭”，马云创业跌入了低谷。

但这段时期他们在北京开发的外经贸部官方网站和网上中国商品交易市场的进展，启发了他让电子商务为中小企业服务的“B2B”思路，就是拓展企业与企业之间的电子商务。之所以选中小企业而不选大型企业，马云有个形象的比喻：听说过捕龙虾发财的渔民，没听说捕鲸鱼致富的。意思是中小企业不像大型企业受“宠”而更愿意接受高效的新事物，而且船小掉头快。果然，马云“B2B”电子商务服务受到了欢迎，马云的网络公司再度生机勃勃。

1999年，马云回杭州筹资50万创办“阿里巴巴”网站，

决心像阿里巴巴打开藏宝山洞那样去开发互联网宝藏。虽然理想高远、决心很大，但起步依然很艰辛。马云100多平方米的公寓就是公司总部，20多名客服人员挤在客厅办公，一间卧室是马总和财务部、市场部的办公室，而另一间卧室则是25个网站工作和维护人员的“工作站”。不分上下每人月薪500元，而且连续工作近300天没休息假期。这么苦干下来，阿里巴巴终于在互联网上站住了，而且影响越来越大。2000年，马云应约飞赴北京见一位“神秘人物”。此人是成功投资雅虎网站的日本软银公司董事长孙正义，这位“网络投资皇帝”关注到阿里巴巴，有意结识马云这个年轻的中国网络风云人物。两人见面没有更多的寒暄，马云准备做一个小时的介绍分析，可是只谈了6分钟，孙正义就从座位上站起来走近马云，举手示意马云停止说话，然后手指着马云坚定地说：我决定投资2 000万美元！ 9年后，孙正义告诉马云：“我见到你的时候，你一无所有，中国的互联网行业也仅仅是刚起步。但是，你的双眼闪烁着坦诚与真实、梦想和激情。在当时，多数互联网公司，不管日本的还是欧洲的，它们只是复制美国的成功模式。阿里巴巴创立了一个新的商业模式，因此，你一定会成功。”

阿里巴巴如虎添翼，马云开始放手大干。可是天有不测风云，2003年初，中国大地被“非典”笼罩，社会经济发展一时显得慌乱低迷，马云面对突然“清闲”的互联网市场，

在消毒水的刺鼻气味中他嗅到了商机。2003 年 4 月 14 日，马云在杭州公司召开了一个秘密会议，一番分析后立刻安排布置与会 7 人去完成一项似乎“异想天开”的任务——30 天内创建一家“C2C”电商网站。“C2C”是指个人与个人之间的电子商务。当时，国内不大的“C2C”市场已被一家美国公司 eBay 占领了 80%，剩下的 20%是易趣公司的天下。马云看准了当时不大的“C2C”市场大有可为，决定秘密冲杀进去。2003 年 5 月 10 日，“密谋筹划”26 天后“淘宝网”呱呱落地。针对 eBay 和易趣都向用户收费，淘宝网就免费；他们禁止买卖双方交易前联系，淘宝就允许讨价还价；他们常对商品产地保密，淘宝就公开产地倡导“同城交易”……淘宝这几招有针对性的“杀手锏”，不仅成功杀入“C2C”市场，而且迅速提高了淘宝网的人气和成交率。待这两家老电商醒悟过来，淘宝网已在中国电子商务市场上势不可当了。马云成功地“跑马圈地”，2010 年淘宝网实现盈利 50 亿元大获全胜。马云总结淘宝的“胜出”：“淘宝要真正赚钱，我还是那句话：要开始考虑赚钱的时候，是你帮别人真正赚了钱的时候。”听起来有点绕口，用淘宝“军师”的话就容易明白：“大舍大得”，要舍得投资、舍得“烧钱”、舍得自己先不赚钱。进入市场那几招，都是先“舍得”呀！马云还在继续他的传奇创业，下面简单介绍一下他近年的创业征程。

2003年，创立独立的第三方电子支付平台，目前在中国市场位居第一。

2004年12月，荣获十大年度经济人物奖。

2005年，和当时全球最大门户网站雅虎战略合作，兼并其在华所有资产，阿里巴巴因此成为中国最大的互联网公司。

2007年8月，推出了以网络广告为赢收项目的营销平台“阿里妈妈”，阿里妈妈以支付的低端门槛吸引了大量的中小站长加入。

2008年，阿里巴巴实行广告三包政策，再次掀起波浪。

2008年7月，马云先生获得日本第十届企业家大奖。该奖项过去只颁发给日本国内的企业家。

2008年9月，马云先生获选美国《商业周刊》评出的25位互联网业最具影响力的人物。他也是唯一上榜的中国企业家。

2008年10月31日，阿里巴巴有限公司和杭州师范大学合作共建杭州师范大学阿里巴巴商学院，马云任董事会董事长。

2014年3月，美国著名财经杂志《财富》20日公布了“全球50位最伟大领袖”排名，中国阿里巴巴集团执行董事长马云排在第16位。

2014年9月19日晚，阿里巴巴集团在美国纽约证券交

易所挂牌上市，开盘价 92.7 美元，较发行价上涨 36.3%。阿里巴巴市值 2 282 亿美元，超过 Facebook、IBM、甲骨文、亚马逊，仅次于苹果、谷歌 (微博) 和微软，成为全球第四大高科技公司和全球第二大互联网公司。至此，阿里巴巴执行主席马云的身家达到212.12亿美元，超过王健林和马化腾，成为中国新首富。

2015 年 3 月 16 日中午，马云作为唯一受邀的企业家代表，在德国汉诺威 IT 博览会的开幕式上作了一场主旨演讲。演讲结束后，他还为德国总理默克尔演示了蚂蚁金服的 Smile to Pay 扫脸技术，马云当场就刷自己的脸给默克尔买了礼物——一张纪念版的德国日历页，选的恰好是这位女总理的出生年月。

2015 年，马云受邀担任当时英国首相卡梅伦的特别经济顾问。马云也成为有史以来受邀英国首相特别经济事务顾问的唯一中国企业家。

2015 年 11 月 10 日 20 时 30 分，天猫和湖南卫视联手巨制的购物节狂欢夜在北京“水立方”举行，冯小刚成为台会的总导演。

2016 年 5 月 17 日中午，马云突然拜访奥巴马，然后在白宫共进午餐。这是奥巴马半年内第二次同马云会面。2015 年 11 月的马尼拉亚太经合组织峰会期间，两人会面，奥巴马曾问马云，国家应该怎么做来支持年轻的创业者。马云回

答说："很简单，减税就好了，别对年轻创业者收税。"他的话引起现场爆笑。美国总统说："你得到了你 CEO 同行的欢呼。"

2016 年，马云又干了件"大事"，拿下了国内 400 家城市医院，想干啥？

大家也许还能回忆起马云的农村淘宝"千县万村"计划，即 3 年花 100 亿元，在农村建立 1 000 个县级农村淘宝中心和 10 万个村级农村淘宝服务站，全国共 41 636 个乡镇，意味着每个乡镇就有 2.4 个农村淘宝服务站。这是一个惊天布局。

2015 年 11 月 9 日，农村淘宝服务站演变为马云网商银行"农村分行"，推出旺农贷，有贷款需求的农民，直接去当地农村淘宝服务站，即可进行无抵押、无担保纯信用贷款，最快 3 分钟得到结果，审核后实时放款。

而现在，农村淘宝站在华丽转身为"农村银行"后，为了与自己的医疗梦想对接，马云又让其变身成了"农村医院"。在马云的想象中，医院只负责治疗诊断，其余的如付款、消费、预约、挂号等全部让支付宝来做，再通过支付宝给医院、医生进行好评、差评，让"乱收费""乱诊断"等现象烟消云散。

好吧！未来我们相信，马云会让它有更多改变。

（王晓达）

附录二：TRIZ 理论的创新思维及方法介绍

TRIZ 是苏联发明家、教育家根里奇·阿奇舒勒提出的。俄语缩写“ТРИЗ”，翻译为“发明问题解决理论”，用英语标音可读为 Teoriya Resheniya Izobreatatelskikh Zadatch，缩写为 TRIZ。英文翻译为 Theory of Inventive Problem Solving，缩写为 TIPS，其意义为发明问题的解决理论。

TRIZ 是一种用于创造性解决问题的全新方法。根里奇·阿奇舒勒在总结整理大量的专利文献时发现专利是有规律可循的：①发明专利虽数目庞大，但有一个共同点，就是应用了数目不多的一般性原理。②工程系统的进化遵循一定的技术进化模式和规律。这就是说，技术系统的发展（在一定限度内）是可预测的。③真正的创新是解决矛盾，妥协的解决方案最多只能算优化。像社会系统一样，技术系统可以通过解决矛盾而得到发展。在他的带领下，苏联的 1 500 多名专家，经过 50 多年对数以百万计的专利文献加以搜集、研究、整理、归纳、提炼和重组，形成了一整套系统化的、实用的、解决发明问题的理论方法体系——发明创造理论，被命名为 TRIZ，用以指导发明家的创造过程。

TRIZ 的出现颠覆了很多人以前认为的“发明创造是少数天才才能够完成的事情”这样一种思维定式。TRIZ 可以

改善人们的思维模式，并帮助人们取得具有创造性的问题解决方案，运用 TRIZ 得到的成果可以比较容易地转化为发明专利，尤其适合于科学技术的问题解决。TRIZ 一经出炉，立即成了通向发明创造金矿的路线图。苏联的科学家遵循此理论在比以往短得多的时间，投入比以往少得多的资源，发明出了大量经典产品。后来 TRIZ 传入美国，立即震惊整个科学界。TRIZ 的出现补足了创新三大核心要素制度、资本、方法论的方法论短板，使普通企业的普通工程师开发出顶尖产品不再成为天方夜谭。

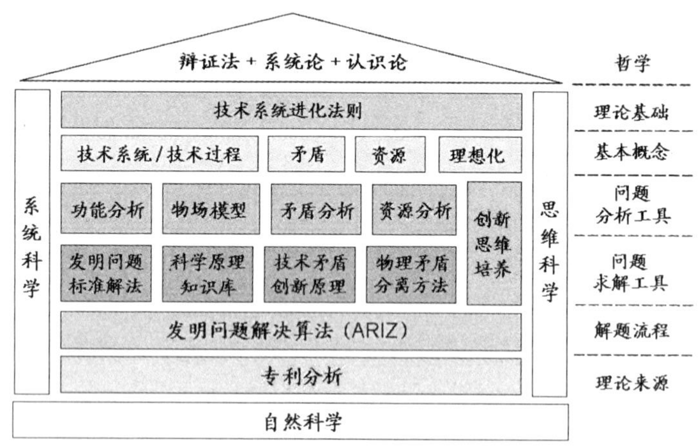

TRIZ 理论体系

哲学

资源
功能
冲突
理想化
时间/空间/界面

方法

一个完整的问题
定义以及解决的过程

工具

IFR 资源分析 功能分析
删减与合并（修整）矛盾矩阵 发明原理
分离原理 物-场分析 破坏分析 进化趋势
科学效应数据库 克服思维定势工具

TRIZ 系统架构

1.TRIZ 的重要启示

（1）发明问题很多，而发明的等级不多；

（2）发明问题很多，而发明问题遇到的冲突类型并不多；

（3）发明就是解决冲突，而解决冲突的原理比较而言也不多；

（4）技术创新是企业的投资行为；

（5）获取投资回报是企业从事创新的根本目标。

2.TRIZ 的哲学思维

把发明从“困难”任务转变为“简单”任务，通过大幅度减少探索范围来达到又好、又快、又省的发明目的。

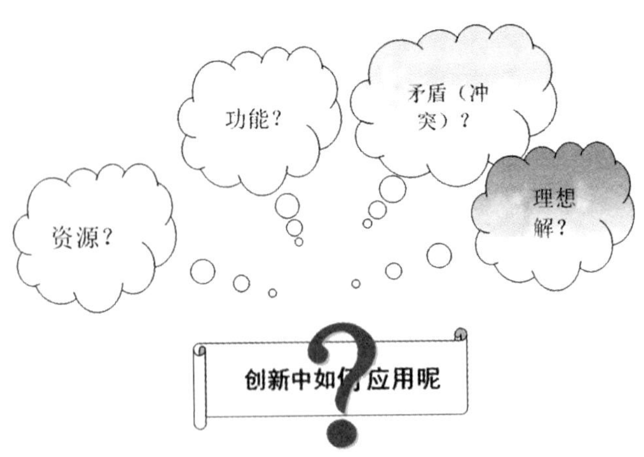

TRIZ 理论的哲学思维

3.TRIZ 的九把利剑

（1）八大进化法则：预测技术系统进化模式和产品成熟度；

（2）最终理想解：系统的进化总是向着更理想化的方向发展，如果将创造性解决问题的方法比作通向胜利的桥梁，那么最终理想解就是这座桥梁的桥墩；

（3）40 个发明原理：浓缩 250 万份专利背后所隐藏的共性发明原理；

（4）39 个工程参数和矛盾矩阵：为解决问题直接提供化解矛盾的发明工具；

（5）物理矛盾的分离原理：分离原理是针对物理矛盾的解决而提出的；

（6）物场模型分析：用于建立与已存在的系统或新技术系统问题相联系的功能模型；

（7）发明问题的标准解法：5 级共 76 个标准解法，可以将标准问题在一两步中快速进行解决；

（8）发明问题解决算法（ARIZ)：针对非标准问题而提出的一套解决算法；

（9）物理效应和现象知识库：将物理现象和效应应用在问题解决过程中。

4.TRIZ 的解题模式

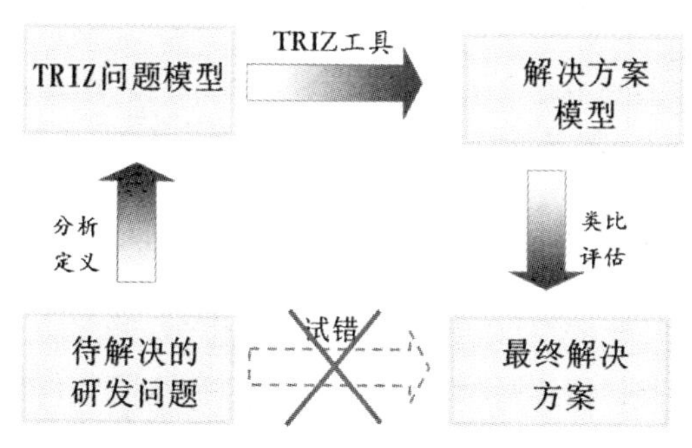

TRIZ 的解题模式

5. 冲突的概念

冲突的定义：矛盾是普遍存在的。冲突是矛盾的极端表

现，只有不断地发现并解决冲突，社会才能发展和进步。

TRIZ 认为：发明问题的核心是解决冲突，未克服冲突的设计不是创新设计。

冲突的分类：技术冲突、物理冲突。

技术冲突与物理冲突的关系：技术冲突总是涉及两个基本参数 A 与 B，当 A 得到改善时，B 变得更差。物理冲突仅涉及系统中的一个子系统或部件，而对该子系统或部件提出了相反的要求。

相对于技术冲突，物理冲突是尖锐的冲突，技术冲突的存在往往隐含物理冲突的存在。

（宫健）

附录三：中国的 100 个世界第一

“中国的 100 个世界第一”，是罗伯特·坦普尔将李约瑟所著《中国的科学与文明》总结出中国古代 100 条重要的发明，著“The Genius of China”(《中国的天才》) 一书的摘录。此书经李约瑟认可，并作长达三页的序言。此书获得美国图书馆协会奖，纽约科学院奖等五项奖。联合国教科文组织机关报“The UNESCO Courier”在 1988 年曾专文介绍此书，“The Chinese Scientifc Genius”，向全世界推荐，此后此书被翻译成 43 种文字。

此书有两种中文译本，1995 年译本由 21 世纪出版社出版，书名为《中国：发明与发现的国度》，书首有中国科学院院长卢嘉锡写的序言，中国工程院院长、两弹一星元勋朱光亚院士题词。2003 年再度翻译成中文，由人民教育出版社出版，书名为《中国的创造精神——中国的 100 个世界第一》，并被列入语文新课标必读书。

这 100 个世界第一的发明分为 11 大类。领先于世界各国，有的早 3 200 年，最短的也有 50 年。

坦普尔在《中国的天才》一书的前言《西方欠中国的债》写道："历史上一个不为人知的最大的秘密，就是我们生活于其中的现代世界，乃是中国文明和西方文明结合的产物，现代世界以之为基础的发明和发现，可能多半来自中国。但是这个事实却不为世人所知，对此，中国人和西方人同样地无知。从 17 世纪西方传教士来华之后，中国人被西方的技术所震惊，犯了对自己成就的健忘症。"（维基百科）

农业

行耕与耘锄：领先世界 2 200 年。

重型带犁板铁犁：领先世界 2 200 年。

胸式马带：领先世界 2 000 年，可追溯到公元前 4 世纪的楚国。

扇车：领先世界 1 800 年。

耧车：领先世界 1 800 年。

天文舆地

太阳黑子：领先世界 2 000 年。

定量舆图：领先世界 1 300 年。

太阳风：领先世界 1 400 年。

麦卡托投影法：领先世界 600 年。

工程

驻波：领先世界 1 700 年。

铸铁：领先世界 1 900 年。

水力鼓风机：领先世界 1 900 年。

铸铁炼钢：领先世界 2 000 年。

深钻开采天然气：领先世界 1 900 年。

传动带：领先世界 1 400 年。

悬索桥：领先世界 1 800 年。

蒸汽机的核心技术：领先世界 1 200 年。

西门子炼钢法：领先世界 1 300 年。

单孔敞肩坦弧石拱桥：领先世界 500 年。

传动链：领先世界 800 年。

工艺

漆器：世界上最早的塑胶：领先世界 3 200 年。

醴酒：从商朝至今领先世界的小米酒。

石油和天然气燃料 ：领先世界 2 300 年。

纸：领先世界 1 400 年。

独轮车、跑马灯、马镫、瓷器、除虫、油纸伞、火柴、白兰地、机械时钟、雕版印刷、纸牌、纸币、长明灯

医疗卫生

血液循环、内分泌学、糖尿病诊断、免疫学（指人痘接种术）

数学

勾股定理、十进位制、零位、负数

开高次方和解高次方程。中国南宋数学家秦九韶在1247年表述的一种求解一元高次多项式方程的数值解的算法－正负开方术，领先英国霍纳（1819年）500余年。

十进位分数

几何学的代数化

多位圆周率：祖冲之圆周率 $3.141\,592\,6 < \pi < 3.141\,592\,7$，精确到小数点后第7位，领先世界1 000多年；直到1 000多年后才由15世纪的阿拉伯数学家阿尔·卡西以17位有效数字打破此纪录。

贾宪三角形

磁学

罗盘、仪表盘与仪表指针、地磁偏角、剩磁与磁感应、生物地球勘探、雪花六角形结构、地震仪、地质学、夜光漆

交通运输

风筝、载人风筝、最早的盘山渠道（灵渠）、降落伞、

孔明灯、小型热气球、船舵、桅杆和风帆、水密隔舱、桨轮船、陆地行舟、斗门水闸

声学与音乐

十二平均律

兵器

化学战（毒气）、烟幕弹、催泪弹、弓弩、火药、火焰喷射器、烟火（焰火，炸弹，手榴弹，地雷，水雷）、火箭（多级火箭）、火枪（大炮，臼炮，来复枪）

附录四：20 世纪最重要的 10 项发明

1. 原子弹

1945 年 8 月，毁灭地球的“潘多拉”盒子在日本广岛和长崎被打开，当时国际强权一心只想以这种威力极大的致命破坏武器——原子弹去压倒对方。美国首先在 1945 年 7 月于新墨西哥州试爆成功，苏联紧接着在 1949 年成功试爆，英国是 1952 年，法国是 1960 年，中国是 1964 年。

2. 航天飞机

1959 年苏联的无人太空船首次成功登陆月球，并且发回了大量的照片。而美国 20 世纪 60 年代末阿波罗登月的壮举，却是人类踏上地球以外星球的第一步，自此以后，美国在太空探险方面逐渐将苏联抛在后头。航天飞机出现后，人类前往外太空的成功概率大为提高。

3. 电视

1923 年，电视机的灵魂——显像管诞生了。电视技术广泛应用是在 20 世纪 40 年代，1954 年则开创彩色电视的纪元 ,20 世纪 60 年代以后几乎大多数国家都建立了电视台。这个方盒子为人类制造了无数欢乐的时光。

4. 人造卫星

第一颗人造卫星是由苏联于 1957 年 10 月 4 日试射成功的，紧接着美国的探险者 1 号在 1958 年 1 月 31 日试射成功，从此以后这些随着地球自转运行的人造卫星愈来愈多地漂浮在大气层外。原来运用在军事科技上的人造卫星，后来慢慢衍生出通信、绘图、侦测、气象等不同用途的卫星家族。

5. 阿斯匹林

早在 15 世纪的希腊医生就用柳树皮中研磨出来的粉末作为草药版的阿斯匹林始祖。 到了 19 世纪末，这个减轻身体疼痛的配方得到了前所未有的重视 , 德国拜耳药厂创立的“阿斯匹林”商标，成为这个药方的专有代名词。20 世纪愈来愈忙碌的现代社会中，阿斯匹林这颗白色圆形药片扮演了不可或缺的角色。

6. 民航客机

现代生活中国际旅行必备的交通工具——飞机，多是由军用运输机改良而成的商用客机。 1949 年第一架商用客机载着36名乘客飞行于欧洲上空，开启了民航世纪的新页面。时至今日，交通运输市场对于飞机旅行的需求越来越大，民航客机已成为人们便利的交通工具之一。

7. 个人电脑

电脑掀起的第三次革命，彻底改变了人们工作与思考的形态。20世纪70年代末，电脑厂商开始开发较小型的个人电脑，到了80年代初，市场上有了大众化的电脑消费产品。个人电脑加快了社会数字化脚步，几乎社会的每一个层面都有电脑存在，没有人能够拒绝电脑进入生活之中。

8. 移动电话

曾经是英雄电影中大哥专属配备的“大哥大”，已成为人们在户外活动时的一种私人通信联络工具。全球经济的发展，让移动通信成为近年来最热门的产业之一。而手机随时随地联络的便利性，也改变了人与人之间传统的沟通工具。

9. 克隆羊

1997年初，英国科学家让一只没有父亲的小羊成功诞生，这项创举说明了人类将有可能用自然途径以外的方法制造生命。克隆羊在生物科技上无疑是史无前例的一大步，但它所牵涉的人类道德观念的层面，却是科学所无法理清的难题。

10. 互联网

最原始的电脑网络原本只是在学院研究室中连接不同电

脑主机，当这项技术只需经由简单的数据机和电话线的连接，就可为人所用时，网络瞬间成为20世纪末影响力最大的发明。网络制造出的新的资讯传播模式很快地影响到愈来愈多的层面。电子邮件、网上购物、网上交友等方式为网络重新定义塑型。人们只要一条细细的电话线，就可以将全世界串连在手中。

（百度文库）

附录五：20世纪人类最伟大的100项科学发明

已离我们而去的20世纪里，都有哪些人类的发明改变了我们的生活？

20世纪头20年的人类发明

齐柏林硬式飞艇，扬声器，空气调节装置，自动售货机，圣诞树彩灯，双刃安全剃刀，飞机，即溶咖啡，人造树胶，霓虹灯，汽车上的电点火装置，纸杯，纵横拼字谜，不锈钢，摇头丸（最初是一种减肥药丸），乳罩，航空食品（第一次出现在飞往乌克兰的一架俄罗斯航班上），经过加工的干酪，坦克，爆米花烤箱，人造生物（机器人），巧克力冰棒，邦迪药伤膏，雪上汽车，自动手表，电动剃须刀，16毫米家庭型电影摄影机（柯达公司发明），克里内克丝面巾纸，电视机，第一部有声电影（美国华纳兄弟电影公司拍摄的《爵士乐歌手》，阿尔·乔尔森主演），汽车无线电，冷冻食品，红绿灯，青霉素（英国人亚历山大·弗莱明发明）。

20 世纪 30 年代的人类发明

世界杯，易拉罐，宝丽来太阳镜，自动洗衣店，道路斑马线，罐装啤酒，流行音乐排行榜（美国 Billboard 杂志首创），原子笔，施乐复印机，家用电冰箱（美国通用电气公司发明），电脑，立体声录音机。

20 世纪 40 年代的人类发明

尼龙丝袜，肯德基，彩色电视，塔伯家用塑料制品，爱尔兰咖啡，原子弹，微波炉，吉普车，宝丽来照相机（可在 60 秒内洗出黑白相片），慢转密纹唱片，可多次使用的尿布，第一台由软件驱动的电脑。

20 世纪 50 年代的人类发明

信用卡，有线电视，动力方向盘，袖珍晶体管收音机，减肥软饮料，录像机，不粘锅，主题公园（迪斯尼乐园首创），纠正打字机错误的修正液，垒高儿童拼装玩具，氢弹，水翼船，口服避孕药，调制解调器，激光，健身呼啦圈。

20 世纪 60 年代的人类发明

第一套电脑视频游戏（星球大战），软接触镜头，纤维笔尖钢笔，体重计，用做隆胸的硅胶填充物，按钮电话（贝尔电话公司研制），电脑鼠标，可长期存放的牛奶，石英手表，“傻瓜”照相机，涡流浴室，影碟，盒式录音磁带，安定安眠药，阿斯特罗草皮，手提电脑，扫描仪，丙烯酸

树脂涂料。

20 世纪 70 年代的人类发明

电脑软盘，电子邮件，袖珍计算器，可随意粘贴便条，文字处理软件，Beta 制大尺寸磁带录像系统，自动调焦照相机，苹果第二代电脑，《太空入侵者》（世界上首套巷战视频游戏），移动电话（手机），索尼随身听，吸脂术。

20 世纪 80 年代的人类发明

光盘，微软视窗电脑操作系统，DNA 基因识别技术，一次性照相机，3D 视频游戏，万维网，高清晰度电视，人工合成皮肤，CD ROM，B 型肝炎疫苗，人体增高荷尔蒙，多普勒雷达，高温超导体，数字蜂窝电话。

20 世纪 90 年代的人类发明

“哈勃”太空望远镜，全球定位系统（美国防部发明），DVD，“伟哥”壮阳药，可用于汽车的氢气燃料电池，“奔腾”处理器，克隆羊多利，控制药物释放的“Smart”药丸，手机短信。

21 世纪的人类发明

苹果 iPod 音乐随身听，人造肝脏，免清洁窗户，Segway 新型交通工具，避孕贴片，适于在北极严寒气候条件下骑行的冰上自行车，防身夹克。

（百度文库）

附录六：20 世纪以来世界科技创新大事记

1900 年，马可尼申请无线电调谐电路专利。

爱迪生发明镍铁电池。

1901 年，马可尼横跨大西洋无线电报试验成功。

日本科学家 Kato Satori 发明速溶咖啡。

1902 年，马可尼实现英国和加拿大之间第一次正式的无线电报通信。

美国工程师威利斯·开利发明空调。

1903 年，美国莱特兄弟发明飞机。

俄国的齐奥尔科夫斯基提出采用多级火箭实现航天飞行的理论。

卢瑟福提出放射元素的蜕变理论，打破了原子不可改变的传统观念。

1904 年，弗莱明在多年研究“爱迪生效应”的基础上，发明二极管。

1905 年，爱因斯坦提出狭义相对论。

1906 年，英国人李维斯·理察森发明声呐。

德福雷斯特发明三极管，为近代电子工业提供了重要基础。

1907 年，法国人保罗·科尔尼发明直升机。

1909 年，“共和国”号邮船同“佛罗里达”号轮船相撞，邮船用无线电呼救，使船上旅客和海员全部脱险。

1911 年，荷兰的翁纳斯发现低温下金属的超导现象。

麦斯南发明无线电导航。

卢瑟福发现原子核。

英国的威尔逊发明云室。

1912 年，费森登和阿姆斯特朗发明外差和超外差电路，为现代接收机奠定了重要基础。

1913 年，麦斯南用电子管产生高频振荡。

丹麦科学家玻尔提出定态跃迁原子模型。

1914 年，费森登发明回波测距，是雷达的前身。

法国兰格文用超声波探测潜艇。

1915 年，爱因斯坦完成广义相对论。

美国卡森证明可以用单边带进行通信。

1916 年，美国遇到暴风雪，电报线路中断，无线电报被广泛用在火车调度上。美国电话电报公司横跨大西洋无线电话试验成功。

1918 年，电子管广泛应用在无线电发射机、接收机和其他各种电子设备里。

美国斯托勒研制成电子稳压器。

法国科学家发明多谐振荡器。

美国科学家制成高频感应加热炉。

1919 年，美国埃克尔斯、乔登发明双稳态触发电路。

英国的爱丁顿等人在巴西和几内亚湾观测日全食，证实引力使光线弯曲的预言。

美国建立世界上第一座无线电广播电台——匹兹堡KDKA电台，正式开始商业无线电广播。

1920年，马可尼购买“伊莱特娜”号游艇，改装成海上流动无线电试验船。

1921年，美国卡第发明石英晶体振荡器。

1922年，从1916年到1922年，马可尼努力研究短波通信。马可尼提出一种实用的雷达系统。

1923年，美国艾夫斯表演传真电报。

1924年，英国阿普尔顿（1892—1965）和巴雷特测定E电离层，证明了亥维赛、肯尼里在1902年的预见。

1925年，美国贝尔德发明机械扫描电视，是电视机的鼻祖。

美籍苏联裔兹渥里金（1889—）发明光电显像管，是近代电视摄像术的先驱。

美国的亚当斯发现天狼星光谱线的引力红移，再次验证了广义相对论。

1926年，奥地利劳里取得雷达技术的专利。

日本八木发明八木天线。

美国惠勒发明自动音量控制电路。

1927年，美国奥尼尔发明纸基磁带记录电信号，后来发展成磁带录音机。纽约和华盛顿之间的电视传输试验成功。

1928 年，亚历山大・弗莱明发明抗生素。

1929 年，德国海森堡（1901—1976）、泡利（1900—1958）把电磁场看作动力学体系，是量子场论的先驱。

贝尔德在英国广播公司开始播送三十行机械扫描电视（1935 年被电子扫描电视所取代）。

1930 年，马可尼在地中海“伊莱特娜”号上，用无线电遥控 1 400 多千米外澳洲电气和无线电展览会上的上千盏电灯。

1931 年，美国的劳伦斯建成第一台回旋加速器。

美国通用无线电公司生产示波器。

1932 年，尼奎斯特发明负反馈放大电路。

最早的保密电话机问世。

英国的查德威克发现中子。

美国的安德森在宇宙射线中发现正电子。

1933 年，美国詹斯基（1905—1950）发现从宇宙来的无线电波，创立射电天文学。

阿姆斯特朗发明调频制。

1935 年，英国 W. 瓦特研制成第一部探测飞机用的实用雷达。

1936 年，美国贝尔研究所研制成功声码器。

中国青年电子科学家孟昭英博士在美国发明世界上最小的真空管，促进了超短波的发展。

1937 年，美国里夫斯发明脉码调制。

美国无线电公司制成第一部机载雷达。

英国广播公司第一次播送高清晰度电视图像。

1938 年，第一台继电器式数字计算机在美国贝尔研究所研制成功。

德国的哈恩、施特拉斯曼用中子轰击铀而发现了铀的裂变。

1939 年，奥地利的迈特纳、弗立施提出铀裂变的解释，并预言每次核裂变会释放大量的能量。

1940 年，英法联军在空战中使用雷达，一举击落德军飞机 185 架。

美国无线电公司生产第一台电子显微镜。

1942 年，美国在费米等人领导下，在芝加哥大学建成了第一个热中子链式反应堆。

1943 年，艾斯勒发明印刷电路。

1945 年，英国克拉克提出利用静止卫星进行通信的设想。

美国在奥本海默领导下制成原子弹。

美国向日本广岛、长崎投掷原子弹。

1946 年，美国宾夕法尼亚大学的莫尔电工学院试制成功第一台电子管电子计算机 ENIAC。

美国开始播送电扫描黑白电视。

中国电学家高仲芹发明电动汉字打字机。

1947 年，美国贝尔研究所巴丁、布拉坦研制出世界上第一个晶体三极管。

1948 年，七月，巴丁、布拉坦公布晶体管发明。

美国申农提出信息论，为现代通信奠定了重要的理论基础。

美国维纳（1894—1964）出版《控制论》。第一条大容量商用微波无线电中继系统在美国投入使用。

1949 年，英国剑桥大学制成第一台通用电子管计算机 EDSAC。

英国加博尔发明全息照相术。

1950 年，英国图灵发表《计算机和智力》一文，提出机器能够思维的观点。

肖克莱等人用单晶锗制成结型晶体管，促进了电子技术小型化的革命。

美国无线电公司试验第一部全晶体管电视机。

1951 年，美国长途电话直接拨号投入使用。

1952 年，英国达默提出集成电路的设想。

美国贝尔研究所蒂尔、比勒发明大型单晶硅制造技术。

1953 年，美国通用电气公司发明单结晶体管。

1954 年，中国钱学森发表《工程控制论》，系统总结了自动控制理论的新发展。

美国贝尔研究所用半导体硅制成第一个太阳能电池。

第一部晶体管收音机在美国问世。

1955 年，美国贝尔研究所研制成变容二极管。

美国巴克应用超导现象发明低温管。

1956 年，肖克莱、巴丁、布拉坦因为发明晶体管，获得本年度诺贝尔物理学奖。

第一条横贯大西洋海底电话电缆投入使用。

第一台商品磁带录音机问世。

美国贝尔研究所提出电视电话的方案。

1957 年，中国科学院、一机部制成锗晶体管，我国电子技术晶体管化从此开始。

苏联发射第一颗人造卫星。

英国剑桥大学研制成扫描型电子显微镜。

美国用电话线进行数据通信。

1958 年，中国科学院计算技术研究所试制成功我国第一台通用电子计算机。

美国肖洛、汤斯首次论述激光理论，促进了激光技术的发展。

美国通用电气公司和晶体管公司生产场效应晶体管。

美国得克萨斯仪器公司宣布研制成第一块集成电路。

日本江崎发明隧道二极管。

1959 年，美国国际商业机器公司（IBM）制成第一台晶

体管计算机 IBM7090。

第一台取样示波器在美国问世。

1960 年，美国的梅曼制成红宝石激光器。

1961 年，美国明斯基提出人工智能概念。

瑞士发明电子钟。

1962 年，美国发射第一个通信卫星。

美国通用电气公司和国际商业机器公司分别研制成固体激光器。

瑞士发明电子手表。

1963 年，第一台彩色磁带录像机问世。

美国贝尔研究所研制成功电视电话。

荷兰菲利浦公司发明盒式磁带录音机，导致录音机的革命。

1964 年，中国制造出第一颗原子弹。

中国哈尔滨军事工程学院试制成功我国第一台全晶体管电子计算机 441-B。

美国国际商业机器公司生产 IBM360 系列计算机。

1965 年，发射第一颗国际通信卫星 INTELSATI。

1966 年，国外开始研究光纤维通信。

1967 年，大规模集成电路问世。

中国爆炸了第一颗氢弹。

1969 年，美国“阿波罗十一号”宇宙飞船成功登月。

1970 年，中国发射“东方红一号”人造地球卫星。

1971 年，美国英特尔公司生产世界第一台微处理机。

1972 年，世界上第一台自由电子激光器问世。

1973 年，美国布恩汤无线电公司生产第一台用微处理机控制的测量仪器 76A 型自动电容电桥。

1976 年，光缆通信试验成功。

美国推出第一台苹果电脑，开创了个人电脑新纪元。

1977 年，美国科学家用电子计算机出色地解决了世界数学难题——四色问题。

中国开始播送彩色电视节目。

1978 年，美国贝尔研究所发明集成光学器件。

美国贝尔研究所发表语声识别计算机系统。

我国研制成功第三代气象卫星接收设备。

世界上第一个试管婴儿诞生。

1981 年，美国 IBM 公司推出个人电脑 IBM-PC，从此开创个人电脑时代。

美国苹果计算机公司开发出图形用户界面软件（GUI）。

美国的第一架航天飞机“哥伦比亚”号飞行成功。

世界上第一架太阳能飞机从巴黎飞往伦敦。

1982 年，中国潜艇水下发射火箭成功。

美国第一次使用人工胰岛素。

1983 年，中国“银河 I 型”巨型计算机在长沙国防科

技大学研制成功，运算速度每秒 1 亿次。

模拟式蜂窝移动电话在美国投入商用。

美国卫星直播电视进入实用阶段。

1984 年，美国苹果公司推出世界上第一台多媒体电脑。

1985 年，微软公司推出视窗 Windows1.0 软件。

美国新泽西州 7 个少年黑客侵入美国防部五角大楼电脑。

1987 年 9 月 14 日，中国学术网（CANET）发出中国第一封电子邮件："越过长城，走向世界"，揭开中国人使用互联网的序幕。

中国开始使用模拟式蜂窝移动电话。

微软公司推出视窗 Windows2.0。

1989 年，欧洲核物理研究中心伯纳李创立万维网（World-Wide-Web，简称 WWW）雏形，并于次年首先推出实施方案。

1990 年，微软公司推出视窗 Windows3.0。

第一台彩色显示屏笔记本电脑东芝 T5200C 在日本问世。

美国的哈勃望远镜（口径 2.4 米，重 12.5 吨）被送上太空。

中国北京大型正负电子对撞机建成。

1991 年，日本索尼公司高清晰度电视开始试播。

日本研制成功世界上第一个超导磁体。

1993 年，中国国防科技大学研制成功运算速度为每秒 10 亿次的“银河Ⅱ型”巨型计算机，次年在国家气象局正式运行。

美国英特尔公司推出奔腾（Pentium）微处理器。

1994 年，世界上第一家网上银行 First Virtual 开始营业。

中国被国际正式承认为拥有全功能 Internet 的国家。

全球兴起信息高速公路热。

1995 年，微软公司推出具有里程碑意义的视窗 Windows95。

1996 年，据国际权威机构统计，到 1996 年底互联网已连接世界 186 个国家和地区。中国科学家小组宣布绘制出迄今最完整的人类基因图谱。

1997 年，中国国防科技大学研制成功“银河Ⅲ型”并行巨型计算机。

英特尔公司推出奔腾Ⅱ处理器，集成了 750 万个晶体管。

IBM 的“深蓝”计算机战胜国际象棋世界冠军卡斯帕罗夫。

英国成功克隆名为“多利”的绵羊，标志着生物技术的重大突破。

1998 年，中国移动通信用户突破 2 000 万户。

微软公司推出视窗 Windows98。

1999 年，中国“银河”四代巨型机研制成功。

中国载人航天飞船“神舟”号发射成功。

英特尔公司推出奔腾Ⅲ微处理器，集成了 900 万个晶体管。

2000 年，互联网已连通全球 100 万个网络、1 亿台电脑和 10 亿用户。

英特尔公司推出奔腾Ⅳ微处理器，集成了 4 200 万个晶体管。

微软公司推出视窗 Windows2000。

2001 年，中国移动通信用户超过 1.2 亿户，已超过美国跃居世界第一位。

中国“神舟二号”飞船发射成功。

美国发射“奥德赛”火星探测器。

科学家研制成功用碳纳米管和纳米线为基础的逻辑电路。

微软公司推出视窗 Windows2000XP，它具有全新的户用图形界面，整合了更多更实用的功能：防火墙，即时通信，媒体播放器等。

2002 年，中国电话用户总数超过 3.81 亿户，跃居世界首位。其中固定电话 2.01 亿户，移动电话 1.8 亿户。

中国互联网人数达到 5 910 万人。

中国“神舟三号”“神舟四号”飞船发射成功。

2003 年，以色列科学家首次在 DNA 上制造出纳米晶体管，这一突破显示出利用生物技术制造电子器件的可能性。

中国移动电话用户总数已达 23 447 亿户。

中国“神舟五号”首次载人航天飞行获得成功。

2004 年，中国联想集团以 12.5 亿美元收购美国 IBM 个人电脑业务，成为全球第三大电脑公司。

中国每秒 11 亿次高性能计算机“曙光 4000A”启用，并跻身世界十强。

2005 年，中国“神舟六号” 载人航天飞行获得成功。

世界最高的高原铁路——中国青藏铁路全线铺通。

2006 年，英国剑桥大学推出能识别人的面部表情的计算机。

IBM 与美国新泽西州医疗机构合作，在全球启动“全球网络大同盟”攻克癌症的医学研究项目。

2007 年，中国“嫦娥一号”发射成功，获得清晰的月面图像，标志着中国首次探月工程成功。

美国和日本两个独立研究小组利用人体皮肤细胞“仿制”出胚胎干细胞。

欧洲天文学家发现类似地球的太阳系外行星。

法国科学家成功追踪到光子从产生到消失的整个过程。

2008 年，中国“神舟七号”飞船发射成功，中国迈出

太空行走第一步。

中国首架具有完全自主知识产权的新支线飞机ARJ21翔凤在上海首飞成功。

美国凤凰号探测器成功降落火星并确认火星上有水。

美国IBM公司开发出全球运算速度最快的超级计算机，运算速度达每秒1 000万亿次。

由美英等国科学家组成的两个国际研究小组，完成了最大规模人类遗传多样性调查。

2009年，中国首台千万亿次超级计算机系统“天河一号”研制成功。

中国发现世界上最早的带羽毛恐龙。

中国成功实现太阳能冶炼高纯硅。

美国通过撞月发现月球存在水冰。

欧洲大型强子对撞机实现首次对撞创下能级新纪录。

世界最大远红外线望远镜及宇宙辐射探测器升空。

英国科研人员发现杀灭癌细胞的新途径。

艾滋病疫苗研发取得突破。

2010年，中国“嫦娥二号”成功发射，探月工程二期揭幕。

中国深海载人潜水器海试首次突破3 700米水深纪录。

中国水稻基因育种技术获突破性进展。

由中、美、英国科研机构发起的大型国际科研合作项目“千人基因组计划”获得重大成果。

欧洲核子研究中心的科学家首次成功捕获反物质原子。

IBM 发布硅纳米光子芯片技术。

欧洲核子研究中心大型强子对撞机质子束流对撞首获成功。

2011 年，中国“天宫一号”与“神舟八号”成功实现交会对接，继美俄之后，中国成为世界上第三个掌握完整太空对接技术的国家。

中国“蛟龙”号载人潜水器成功突破 5 000 米，标志着中国具备到达全球 70% 以上海洋深处进行作业的能力。

中国百亩超级杂交稻试验田亩产突破 900 千克，中国杂交水稻超高产研究保持世界领先地位。

英国发明超薄“纳米片”制备方法。

瑞士制造的世界最大太阳能飞机首次跨国飞行成功。

美国研制出世界上第一束生物激光。

美国研制成功反激光器。

美国“好奇”号火星探测器发射升空。

7 月，中国第一个由快中子引起核裂变反应的中国实验快堆成功实现并网发电，标志着中国在占领核能技术制高点。

2012 年，中国“神舟九号”载人飞船与“天宫一号”

成功对接。

中国“蛟龙”号下潜突破 7 000 米。

亚洲第一座 65 米射电望远镜在中国科学院上海天文台松江佘山基地落成。

远征 5.67 亿千米的美国“好奇”号火星车在火星成功着陆。

加拿大科学家开发出人造大脑。

澳大利亚和美国科学家组成的研究团队成功设计出迄今世界上最细的纳米导线。

天文学家发现质量是太阳 170 亿倍的黑洞。

德国首次从皮肤细胞中培养出成体干细胞。

美国科学家们用光子取代电子，制造出首个由光子电路元件组成的“超电子”电路。

2013 年，中国“嫦娥三号”月面软着陆开展科学探测。

中国“神舟十号”飞船发射成功。

中国国防科大研制的“天河二号”计算机在第 41 届世界超级计算机 500 强排名中位居世界第一。

中国研制成功世界最大单机容量核能发电机。

中国研制成功世界首台拟态计算机。

美国 1977 年发射的“旅行者一号”探测器已经飞出太阳系，人类迎来向星际空间进军标志性的第一步。

英国首次 3D 打印出“活体组织”。

世界第一台碳纳米管计算机在美国斯坦福大学建成。

剑桥大学研究人员首次发现人类DNA存在四链螺旋结构。

美国研究人员成功培育出人类胚胎干细胞。

世界最大地面天文观测装置在智利北部阿塔卡马沙漠正式启用。

首张人脑超清三维图谱问世。

（松鹊）

参考文献

[1] 王梓坤．科学发明纵横谈 [M]. 武汉：湖北科技出版社，2013.

[2] [英] 贝弗里奇．科学研究的艺术 [M]. 北京：科学出版社，1979.

[3] 戴尔・卡耐基．卡耐基励志经典大全集 [M]. 北京：华文出版社，2009.

[4] 松鹰．电子英雄 [M]. 北京：中国青年出版社，2007.

[5] 松鹰．原子风云 [M]. 北京：中国青年出版社，2007.

[6] 松鹰．三个人的物理 [M]. 北京：中国青年出版社，2007.

[7] 吴显奎．诺科星人撤离地球 [M]. 成都：四川科技出版社，2011.

[8] 叶至善．梦魇 [M]. 北京：中国青年出版社，1990.

[9] 鄂华．盗火者的足迹．上海：上海人民出版社，1980.

[10] 路甬祥．创新的启示——关于百年科技创新的若干思考 [M]. 北京：中国科学技术出版社，2013.

[11]　杨建邺 . 科学大师的失误 [M]. 武汉：湖北科学技术出版社，2013.

[12]　松鹰 . 可怕的微机小子 乔布斯 [M]. 北京：希望出版社，2013.

[13]　松鹰 . 可怕的微机小子 比尔·盖茨 [M]. 北京：希望出版社，2013.

[14]　王通讯，雷祯孝 . 试论人才成功的内在因素 [J]. 人民教育，1979(9).

[15]　[英]R. 坦普尔 . 中国的创造精神——中国的 100 个世界第一 [M]. 北京：人民教育出版社，2004.

[16]　张开逊 . 回望人类发明之路 [M]. 北京：北京出版社，2007.

[17]　[美] 肯德尔·亥文 . 历史上 100 个最伟大的发明 [M]. 青岛：青岛出版社，2008.

[18]　[美] 肯德尔·亥文 . 历史上 100 个最伟大的发现 . 青岛：青岛出版社，2008.